Cancer Prédictions Et Rituels 2024

Astrologues

Alina A. Rubi et Angeline Rubi

Publication indépendante

Astrologues : Alina A. Rubi et Angeline Rubi

Courriel : rubiediciones29@gmail.com

Éditeur : Angeline A. Rubi

rubiediciones29@gmail.com

Prévisions générales 2024

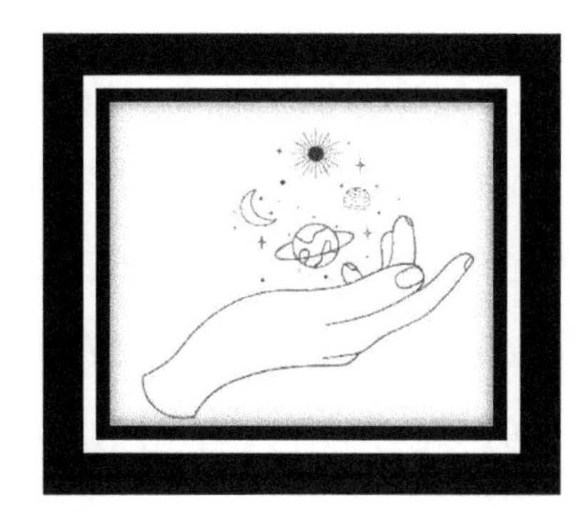

L'année 2024 est arrivée ! Une année astrologiquement significative. Nous serons témoins d'événements qui auront un impact sur le monde entier, une période de transformation collective est à nos portes. Une période de réflexion, d'abstraction, d'évaluation et de séparation de ce qui ne fonctionne plus.

Nous assisterons à une restructuration des systèmes politiques qui entraînera des changements dans l'équilibre des pouvoirs, la manifestation de nouvelles tendances politiques et des transformations dans le mode de fonctionnement des autorités et des gouvernements.

L'énergie de Pluton apportera des changements significatifs à l'économie, de nouvelles industries et entreprises se développeront, mais le déclin des entreprises établies se poursuivra. C'est le début d'un nouveau cycle économique avec un grand potentiel d'innovation.

Pluton continuera à exercer des effets catastrophiques sur la structure sociale des pays. Toutes les questions relatives au pouvoir, au contrôle et à l'autorité feront la une des journaux cette année. Cela conduira à la création de nouvelles structures de pouvoir. C'est le début d'une ère avec plus de valeurs et de conscience sociale.

Un changement dans les forces du pouvoir mondial est à venir, car le retour de Pluton signale une période de métamorphose pour les États-Unis. Cela implique un changement dans l'équilibre des pouvoirs entre tous les pays du monde, et nous assisterons à l'émergence de nouveaux acteurs mondiaux et à la transformation des relations mondiales.

Le 20 janvier 2024, à 19 :51 (EST), Pluton transite du Capricorne au Verseau. Il ne s'agit pas d'un transit définitif car Pluton reviendra dans le signe du Capricorne au moment des élections américaines et retournera en Verseau le 19 novembre 2024. Ces élections seront inoubliables car le séjour de Pluton en Capricorne du 1er septembre au 19 novembre coïncide avec elles. Ce transit augmente l'insécurité, la méfiance, les dilemmes et les turbulences dans l'environnement politique.

Au cours de la période précédant les élections, le pays sera confronté à de graves et profondes questions relatives à l'autorité et à la démocratie. Le résultat de ces élections sera un signe planétaire du changement et de l'évolution nécessaires. Il sera la voix des enjeux de la planète Pluton en transit.

Lorsque Pluton transitera le signe du Verseau, d'importants changements mondiaux commenceront à se produire. Ce transit entraînera une analyse profonde de la manière dont l'autorité, les gouvernements et les méthodes sociales sont traités dans le monde entier. Toutes les structures de pouvoir seront ébranlées et les normes établies seront remises en question. Tous ces changements se produiront progressivement.

Tous ces événements astrologiques auront un impact sur nous au niveau personnel. Tous les changements globaux tendent à nous motiver à grandir en tant qu'individus. Si vous pouvez comprendre les enjeux et les énergies en jeu, vous aurez la possibilité de vous préparer aux changements qui peuvent vous affecter directement.

Alors que le monde subit ces changements de valeurs sociales, nos valeurs changent également. Cela implique une réévaluation de nos croyances, de nos priorités et de nos modes de pensée. Au fur et à mesure que nos valeurs changent, nous entrons en relation avec des personnes qui partagent nos convictions.

Les changements financiers qui résulteront de ces influences créeront des opportunités professionnelles car de nouveaux secteurs émergeront. Il est nécessaire de se tenir au courant des nouvelles tendances économiques pour réussir dans ces systèmes en mutation.

L'entrée officielle de Pluton dans le Verseau commence le 19 novembre 2024. Pluton déforme, corrompt et transforme les thèmes de la planète qui gouverne le signe dans lequel il transite. Ces thèmes subissent un processus de mort et de renaissance et finissent par être changés à jamais.

Le signe du Verseau est lié à la science, aux découvertes scientifiques, à la technologie, au cosmos, aux révolutions politiques et sociales, aux changements sociaux et aux idées libérales.

Les événements possibles de Pluton en Verseau comprennent un large éventail d'avancées technologiques et scientifiques. De nombreuses avancées spécifiques verront le jour dans les domaines de l'intelligence artificielle et de la nanotechnologie. Nous connaîtrons littéralement une révolution industrielle, étant donné que le signe du Verseau régit la technologie. Nous vivrons des événements extrêmement importants liés aux voyages dans l'espace, à l'existence des extraterrestres et à la mise en œuvre de technologies qui réduiront notre dépendance au pétrole.

Un autre changement qui se produira avec ce transit concernera la structure du pouvoir, la liberté et la capacité à donner une voix aux opprimés. Avec Pluton en Verseau, un ouragan de développements politiques se prépare et ce n'est un secret pour personne que les régimes autoritaires abondent. La division politique que nous avons observée aux États-Unis va encore s'accélérer. Les luttes de pouvoir et la création de nouveaux partis politiques se poursuivront.

Il y aura une séparation des prototypes caractéristiques du pouvoir au fur et à mesure que les dominés acquièrent plus de pouvoir et de droit à la justice.

En bref, un cycle totalement inconnu est en cours. L'année 2024 est un portail vers une dimension complètement différente. Les trois planètes extérieures Jupiter, Saturne, Uranus et Neptune. Elles travailleront à l'unisson pour nous aider à créer une réalité complètement différente. Uranus, Neptune et Pluton uniront leurs forces pour élever notre conscience et inscrire l'ère du Verseau dans le marbre.

Nous avons la chance que la technologie et la spiritualité nous soutiennent dans ces changements vers un monde complètement différent, où l'originalité et l'évolution personnelle prévalent, alors que de plus en plus de personnes s'éveillent et se déconnectent de l'oppression mentale à laquelle elles ont été soumises.

Nous devons être raisonnables et nous rappeler que pour que ce nouveau cycle avance, toutes les structures obsolètes doivent continuer à s'effondrer, comme c'est le cas depuis 2021. Saturne, maître impitoyable, a la charge de ce processus lors de son passage en Poissons, tandis que Jupiter tend sa main douce.

Les nœuds lunaires sur l'axe du Bélier et de la Balance continueront à mettre fin aux relations toxiques, abusives et addictives.

N'oubliez pas que l'astrologie joue un rôle dans l'alignement des événements sur le comportement humain. La prudence et l'adaptation sont des qualités décisives pour les opportunités et les défis de 2024.

La fusion des connaissances astrologiques et de l'expérience vécue nous permettra d'avancer vers un avenir plus radieux.

N'oubliez pas que lorsque le monde change, vous avez la possibilité de changer avec lui. Si vous ne résistez pas au changement, vous passerez l'année 2024 en bonne santé.

Cancer

Le Cancer est un signe d'eau, symbolisé par un Cancer marchant entre la mer et son rivage, une capacité qui se reflète également dans sa capacité à mélanger les états émotionnels et physiques.

L'intuition du Cancer, qui provient de son côté émotionnel, se manifeste de manière tangible et, parce que la sécurité et l'honnêteté sont fondamentales pour ce signe, elle peut sembler un peu froide et distante au début.

Le Cancer révèle peu à peu son esprit doux, ainsi que sa compassion sincère et ses capacités psychiques. Si vous avez la chance de gagner sa confiance, vous découvrirez que, malgré sa timidité initiale, il aime partager.

Pour cet amoureux, le partenaire est vraiment le plus beau des cadeaux et il récompense les relations par sa loyauté indéfectible, sa responsabilité et son soutien émotionnel. Il a tendance à être plutôt casanier et son foyer est un temple personnel, un espace dans lequel il peut exprimer sa personnalité.

Grâce à leurs compétences domestiques, les Cancers sont également de sublimes hôtes. Ne soyez pas surpris si votre partenaire Cancer aime vous flatter avec des plats faits maison, car il n'y a rien qu'il aime plus que la nourriture naturelle.

Les cancers sont également très anxieux à l'égard de leurs amis et de leur famille et aiment jouer un rôle protecteur qui leur permet de nouer des liens passionnés avec leurs compagnons les plus proches.

Mais n'oubliez jamais que lorsque le cancer s'investit émotionnellement dans quelqu'un, il risque de brouiller la frontière entre soins et contrôle.

Le Cancer a également une nature inconstante comme la Lune et une propension à l'instabilité. Le Cancer est le signe le plus grincheux du zodiaque. Leurs partenaires doivent apprendre à apprécier leurs variations émotionnelles et, bien sûr, le Cancer doit aussi contrôler sa sentimentalité.

Leurs habitudes défensives ont un revers et, lorsqu'ils se sentent provoqués, ils n'hésitent pas à se mettre sur la défensive. Les cancers doivent se rappeler que les erreurs et les disputes occasionnelles ne font pas de leur partenaire un ennemi. En outre, ils doivent s'efforcer d'être présents de manière énergique dans leurs relations.

En tant que signe émotionnel et introspectif, il vous est facile de vous renfermer sur vous-même la plupart du temps et si vous n'êtes pas présent dans une relation, la prochaine fois que vous sortirez de votre coquille, votre partenaire ne sera peut-être plus là pour vous.

Le Cancer sait écouter et, lorsqu'il sort de sa coquille, il est une éponge émotionnelle. Le partenaire du Cancer absorbera vos émotions, ce qui peut parfois être un soutien, mais aussi une source d'étouffement.

Il n'est pas facile de savoir si le Cancer vous imite ou s'il est en empathie avec vous, mais comme il est très attaché à son partenaire, cela ne fait aucune différence.

Si le soutien émotionnel du Cancer entrave votre personnalité, il est préférable de le laisser tomber. Ce signe sensible est facilement contesté par les opinions les plus subtiles et, bien qu'il évite les conflits directs en marchant de biais, il peut aussi utiliser ses molaires.

Ce comportement typiquement insouciant et provocateur est prévisible, et il est rare de sortir avec le Cancer sans goûter au moins une fois à sa mauvaise humeur caractéristique.

En raison de la sensibilité des Cancers, il n'est pas facile de se disputer avec eux, mais avec le temps, vous apprendrez quels mots dire et, peut-être plus important encore, lesquels éviter. Soyez conscient de ce qui agace votre partenaire et, avec le temps, il vous sera plus facile d'avoir des dialogues difficiles.

Il est important de savoir comment cette créature magique fonctionne dans le meilleur et dans le pire des cas. En fin de compte, la chose la plus importante à retenir est que le Cancer n'est jamais aussi indifférent qu'il n'y paraît.

La chose la plus difficile à faire avec le Cancer est de briser sa surface dure et rigide. C'est pourquoi la tolérance est essentielle lorsque vous flirtez avec le Cancer. Gardez un rythme lent et régulier et, avec le temps, vous gagnerez la confiance nécessaire pour révéler votre vraie nature.

Bien sûr, ce processus peut être long et compliqué et la moindre erreur peut mettre le Cancer sur la défensive, de sorte que deux pas en avant peuvent se transformer en un pas en arrière. Ne vous découragez pas, il n'y a rien de personnel, c'est juste la physiologie du Cancer.

Le Cancer peut avoir des relations sexuelles occasionnelles, mais ce signe d'eau douce préfère les relations émotionnellement intimes.

Rappelez-vous que le Cancer a besoin de se sentir complètement à l'aise avant de sortir de sa coquille, ce qui est particulièrement important en matière de sexualité. Pour le Cancer, la confiance se nourrit de la proximité physique.

Vous pouvez commencer à cultiver une relation sexuelle avec le Cancer, en l'intégrant petit à petit, en tenant compte de votre rythme et de vos caresses. Cela permettra au Cancer de se sentir plus à l'aise dans la fusion de l'expression émotionnelle et physique, en veillant à ce qu'il se sente protégé avant de commencer à faire l'amour.

Bien que le Cancer soit patient et tende à être extrêmement loyal, car il a besoin de se sentir protégé et compris par son partenaire, il peut rechercher l'intimité avec quelqu'un d'autre s'il a l'impression que ces exigences ne sont pas satisfaites.

Le Cancer peut être très espiègle, donc toute relation secrète sera calculée, et un Cancer perdu rendra nécessaire d'emporter ses pitreries dans la tombe, de prendre des mesures supplémentaires pour empêcher que la rencontre ne soit découverte, et d'enterrer les preuves sur la plage.

En fait, même le cancer le plus loyal aura des secrets, mais cela ne veut pas dire qu'il est mauvais ou méchant.

Tout le monde mérite de garder certaines choses secrètes, et un peu de mystère ajoutera à la relation.

Il n'est pas facile pour les Cancers d'établir une relation sérieuse et engagée et, une fois qu'ils se sentent en sécurité, ils ne veulent pas qu'elle se termine.

Le Cancer a tendance à entretenir des relations même après que les étincelles se sont éteintes parce que, tout simplement, le Cancer a un cœur sentimental. Mais, bien sûr, toutes les relations ne sont pas faites pour durer éternellement.

Ce signe d'eau ne veut pas être vindicatif, mais quand son cœur est brisé, il sait poser des limites.

Supprimer son numéro de téléphone, le bloquer et ne pas le suivre sur les médias sociaux vous permet de vous protéger de la douleur lors d'une rupture. Ainsi, si votre relation avec le Cancer prend fin, attendez-vous à recevoir une liste exhaustive de règles.

Le Cancer peut être idéaliste et ce signe d'eau recherche certainement sa propre transcription d'une histoire d'amour. Cependant, il interagit de manière différente avec chaque signe du zodiaque.

Horoscope du cancer

C'est une année fabuleuse pour les nouveaux départs, les nouvelles activités et les nouveaux projets. Ce que vous commencez maintenant sera au centre des cinq prochaines années de votre vie. Commencez l'année 2024 avec énergie, enthousiasme et excitation.

C'est une année où votre personnalité et votre vie professionnelle sont étroitement liées, et cette interaction est de la plus haute importance.

Vous souhaitez atteindre une certaine notoriété et être admiré pour votre travail personnel. Le succès est plus ou moins probable au cours de cette année, bien que vous puissiez le considérer comme insuffisant en raison de votre forte ambition.

Votre présence sera évidente dans le cercle dans lequel vous opérez, même si d'autres exigeront de vous des responsabilités.

En général, cette saison promet la réussite professionnelle et vous trouverez toujours les crédits et la protection dont vous avez besoin pour l'obtenir.

Vos affaires ou vos activités professionnelles seront sous les feux de la rampe. Les relations avec les personnes en position d'autorité et avec vos parents joueront également un rôle important, bien qu'il puisse y avoir un problème sérieux à résoudre.

Vous devez développer une certaine prudence à l'égard d'éventuels conflits dans la sphère professionnelle.

Cependant, c'est un bon moment pour vous concentrer sur vos objectifs et améliorer l'image que vous projetez à l'extérieur.

C'est une année où vous recherchez constamment de nouvelles expériences, mais votre soif d'action et de changement cache probablement une crainte de nouer des liens durables.

Vous aurez du mal à reconnaître le côté féminin de votre nature et à accepter la responsabilité du bien-être de quelqu'un d'autre. Vous éviterez les engagements au cours de cette année, car vous ne voulez pas vous sentir émotionnellement attaché.

Les autres admireront votre esprit d'entreprise et apprécieront le fait que vous ne fuyez pas les responsabilités, en particulier lorsque l'une de vos actions risquées ne fonctionne pas.

C'est une année au cours de laquelle vous deviendrez un combattant qui n'abandonne pas facilement et qui, si nécessaire, fera cavalier seul.

Votre côté affectif sera plus sensible que d'habitude et débordera de tendresse envers tous ceux qui vous entourent. En particulier, vos enfants (si vous en avez) bénéficieront de votre prédisposition particulière à les écouter et à être plus réceptif à leurs besoins, ainsi que plus aimant et plus compréhensif.

Comme vous appréciez plus que jamais le beau côté de la vie, vous pouvez utiliser cette disposition pour l'expression créative, les événements sociaux et les activités professionnelles. En outre, il est probable que vous entamiez une relation amoureuse ou que vous modifiiez votre relation actuelle en termes de forme et de sentiment.

Vous pouvez vous rendre plus souvent dans vos lieux de divertissement habituels.

Un membre de la famille peut également fournir un revenu ou un soutien financier.

Sur le plan de la santé, ce sera une période très propice aux rhumes et aux irritations ; il ne serait pas inutile de surveiller les voies respiratoires et les reins.

Pendant les périodes de rétrogradation de Mercure, réfléchissez aux choses ou aux personnes auxquelles vous voulez donner une seconde chance, plutôt que de commencer quelque chose de nouveau. S'il s'agit de quelque chose de nouveau, vous devrez peut-être le faire d'une manière non conventionnelle.

Vous rencontrerez des personnes d'orientation spirituelle qui façonneront votre personnalité. C'est une bonne période pour votre éveil spirituel.

Si vous n'avez pas de partenaire, rappelez-vous que les occasions ne se répètent pas. Si quelqu'un vous intéresse, vous devez l'aborder et lui dire ce que vous ressentez sans y réfléchir à deux fois. Ce petit acte de courage fera toute la différence, le début d'une histoire d'amour.

Amour

Ce thème pourrait être très présent en 2024. Toutes les belles choses que vous désirez en amour pourraient être possibles après le mois de mai.

Une désintoxication planétaire est en cours dans votre vie amoureuse et dans votre vie en général. Cela n'a pas été une expérience agréable. Toutes les expériences amoureuses que vous avez vécues sont de nature détoxifiante.

Cette année, vous ferez un pas en avant dans votre vie amoureuse et donnerez une nouvelle force à votre relation. Votre relation sera plus forte qu'auparavant et la confiance mutuelle entre vous deux augmentera.

Au cours de cette année, vous comprendrez les sentiments de votre partenaire et accorderez de l'importance à ses opinions. N'essayez pas d'imposer vos idées, sinon des tensions pourraient survenir dans votre vie amoureuse.

Vous devrez peut-être faire face à des ragots inutiles, alors soyez très discret sur votre vie privée.

Il y aura des moments où vous voudrez rompre avec votre partenaire. Cela peut être contrôlé ou évité si vous vous occupez des choses importantes dans votre vie amoureuse.

Les célibataires auront de nombreuses occasions de nouer des relations amoureuses au cours des trois premiers mois de l'année. Au cours du deuxième trimestre, les relations seront éphémères.

Vous arrivez progressivement au terme d'une lente transformation. Vous devez continuer à avancer lentement mais sûrement. Vous devez agir plus sérieusement dans vos relations, ce qui ne veut pas dire que vous devez mettre le plaisir de côté.

Vous devez faire plus d'efforts dans votre relation, car vous vivez pratiquement une vie de célibataire, tout en bénéficiant des avantages d'un couple. Vous devez apprendre à prendre des décisions avec votre partenaire.

À partir du mois de mars, vous pouvez vous sentir un peu inquiet, mais il n'y a rien qui ne puisse être résolu par une escapade en famille.

Pendant les périodes de Pleine Lune, vous prendrez l'amour plus au sérieux et tenterez de vous rapprocher des personnes avec lesquelles vous avez un lien fort.

Vous vivrez quelques mois d'incertitude. Vous commencerez une relation qui, au début, ne sera basée que sur le sexe, puis vous vous impliquerez émotionnellement et vous avouerez que vous tombez amoureux.

Au cours de cette année, vos relations personnelles sont au centre de l'attention. Vous avez besoin d'entrer en contact avec les gens et vous vous préoccupez de l'impression qu'ils ont de vous. C'est le moment d'examiner votre comportement envers les autres, en particulier votre partenaire, et d'envisager d'éventuels ajustements et corrections.

Plus que jamais, vous pouvez réaliser que vous avez besoin de la coopération des autres pour atteindre vos objectifs et que le meilleur moyen de donner un sens à votre vie, à votre individualité et à votre pouvoir réside dans les partenariats et les relations.

La participation à des activités communes soulève des questions qui vous permettront de mieux définir qui vous êtes.

Votre identité sera façonnée et cimentée par les hauts et les bas et les complications que vous rencontrerez en tentant d'établir des partenariats vitaux et sincères.

L'économie

Cette année apporte beaucoup d'énergie positive dans les négociations que vous menez, en particulier dans les situations où vous devez discuter de questions importantes.

Il se peut que vous occupiez un nouveau poste qui vous permette de mettre en valeur votre talent. Si vous avez une présence sur les médias sociaux, veillez à la mettre à jour.

Ne perdez pas de temps et planifiez l'avenir. Si vous avez votre propre entreprise, il est temps de sortir de la routine.

Si vous êtes au chômage et à la recherche d'un emploi, la chance vous sourira, surtout si vous avez de l'expérience ou des compétences spécifiques.

L'activité indépendante vous permet de gagner beaucoup d'argent, ce qui pourrait vous être bénéfique à l'avenir. Si vous êtes indépendant, vous obtiendrez également des résultats spectaculaires.

Au cours de l'année, vous rencontrerez quelques difficultés financières, mais seulement mineures. Ceux qui souhaitent exploiter davantage leurs talents pourront le faire. Si vous n'avez pas besoin de dépenser beaucoup, ne le faites pas, et il ne sera pas opportun de contracter un prêt. Vous devez commencer à épargner beaucoup plus, car c'est une année difficile.

L'art de gagner de l'argent consiste avant tout à saisir les opportunités. Vous devez cesser toute activité dénuée de sens, non planifiée et non ordonnée et planifier une meilleure stratégie pour gagner de l'argent. Si vous ne définissez pas vos objectifs, vous ne réussirez pas.

Au cours de l'année 2023, vous avez appris de nombreuses leçons en matière de finances. Cette année, grâce à ces connaissances, lorsque vous devrez prendre une décision, vous mettrez de côté l'impulsivité et aurez recours à la patience et à la tolérance. Toutes les transactions commerciales seront profitables.

Vous recevrez des offres qui vous permettront de choisir entre plusieurs options avantageuses pour évoluer dans votre domaine professionnel. Vous devez analyser soigneusement tous les détails afin que votre décision finale soit celle qui vous sera la plus profitable.

Ne laissez pas vos erreurs s'accumuler sans être remarquées à cause de votre passivité excessive, car si cela se produit, la situation pourrait devenir critique.

C'est l'année où il faut se réveiller et agir. Toutes les décisions que vous devez prendre sont à votre portée.

Vous avez la possibilité de changer votre avenir, laissez libre cours à votre imagination. Vous devriez commencer à concevoir des projets qui peuvent générer des revenus supplémentaires et une nouvelle façon de travailler.

Les périodes rétrogrades de Mercure auront un impact sur votre domaine professionnel. Cela peut signifier que si vous n'aimez pas ce que vous faites, vous changerez de métier. Le moment où vous ressentirez le plus cette énergie est celui où l'éclipse solaire du 8 avril se produira dans votre sphère professionnelle.

Famille

Il s'agit d'un domaine important pour vous. En général, il indique un déménagement vers une maison plus grande et plus spacieuse ou la rénovation de celle que vous possédez.

Une grossesse ne serait pas une surprise, surtout si vous essayez.

Votre compassion naturelle se manifestera par des actions destinées aux personnes de votre entourage qui se sont égarées et qui ont besoin d'aide.

Dans une position plus sympathique, vous vous efforcerez de remplir votre rôle familial, mais vous le ferez sans juger, avec un esprit plus ouvert, ce qui amènera vos proches à vous admirer et à vous demander votre avis pour résoudre les problèmes familiaux.

Au milieu de l'année, votre énergie vitale et votre volonté semblent être en conflit avec votre côté émotionnel, et vous pouvez avoir l'impression que les circonstances sont contre vous, car vous ressentez un manque de soutien et d'affection de la part de votre entourage. Vous pouvez également avoir des échanges tendus avec un être cher. Mais ne vous inquiétez pas, cela passera rapidement sans conséquences importantes. La patience et la souplesse vous aideront.

Cancer Santé

N'oubliez pas que le problème de santé le plus fréquent en début d'année est le stress. Le fait de devoir faire face à toutes les dettes que nous avons contractées en raison des dépenses de fin d'année peut être accablant. C'est pourquoi il est important d'être réaliste et patient.

C'est le moment idéal pour essayer des choses comme la méditation et l'amélioration de la qualité du sommeil, qui apporteront de nombreux avantages à votre santé mentale.

N'oubliez pas de penser positivement et d'être optimiste, car les émotions positives améliorent le flux d'énergie.

Vous risquez de souffrir d'allergies cette année. Veillez à modifier sainement votre régime alimentaire. Vous devriez compléter votre alimentation par des suppléments ou des vitamines pour renforcer votre système immunitaire.

En général, les problèmes de santé peuvent être liés aux nerfs, à une inquiétude excessive et à un manque de repos.

Vous pourriez ressentir le besoin de mettre de l'ordre dans vos habitudes et de devenir plus sérieux. Profitez de cette année pour faire quelque chose pour votre santé en pratiquant du sport, en mangeant sainement et en effectuant des exercices de yoga.

Dates importantes

- ***17/06 Vénus entre en Cancer.*** *Pendant ce transit, votre désir de sécurité et de stabilité émotionnelle augmente. Vous pouvez exprimer votre amour et votre affection par des actes de gentillesse, en recherchant le confort dans des environnements sûrs. C'est le moment de renforcer les liens dans les relations existantes* *et d'explorer les expériences émotionnelles partagées.*

- ***17/06 Mercure entre en Cancer.*** *Ce transit indique des changements inattendus au travail. On vous demandera de prendre des mesures pratiques pour progresser personnellement, pour équilibrer vos revenus et pour maintenir la fluidité de vos relations personnelles.*

  Votre domaine professionnel fluctuera avec des effets négatifs, car vous ne pourrez pas profiter de toutes les opportunités en raison d'un changement soudain d'emploi.

- ***06/20 Le Soleil entre dans le Cancer***

- ***05/07 Nouvelle Lune en Cancer.*** *Les nouvelles lunes sont traditionnellement des périodes de nouveaux départs. Ce qui commence peut-être au centre des six prochains mois de votre vie.*

  - ***Du 4/9 au 3/11, Mars transite en Cancer.*** *La planète Mars dans votre signe apporte généralement beaucoup d'énergie et d'élan pour de nouveaux commencements et projets. Cela peut vous aider à vous lancer dans un nouveau projet que vous entreprendrez au cours des deux prochaines années de votre vie.*

Introduction. Rituels

Dans ce livre, nous vous proposons différents sorts et rituels pour attirer l'abondance économique dans votre vie en 2024, car cette année sera riche en défis.

Lorsque tout semble s'écrouler, l'aide spirituelle arrive à point nommé.

La magie fonctionne. La plupart des gens qui réussissent, croyez-le ou non, la pratiquent, mais bien sûr ils ne vous le diront pas. Elles ont obtenu leurs triomphes parce qu'elles ont soigneusement exécuté certains des rituels que nous proposons dans ce livre.

Si vous en avez assez d'échouer en amour ces dernières années, vous avez acheté le bon livre, car votre vie amoureuse changera complètement lorsque vous mettrez en pratique les rituels que nous recommandons.

Les sorts de santé et les rituels de magie blanche vous aideront à maintenir ou à améliorer votre état de santé, mais n'oubliez jamais qu'ils ne remplacent pas un médecin ni les traitements qu'il prescrit.

Les sorts de santé sont très populaires dans le monde de la magie, après les sorts d'amour ou d'argent, les sorts de santé sont très recherchés pour leur grande efficacité, bien qu'ils ne soient pas faciles à lancer car la santé est un sujet sensible.

Il existe un nombre infini de raisons pour lesquelles un rituel ou un sort ne fonctionne pas, et nous commettons des erreurs sans nous en rendre compte.

L'énergie rituelle est gaspillée si trop de personnes savent ce que vous faites.

Pour obtenir des résultats positifs, il est nécessaire de pratiquer au bon moment.

Ces périodes magiques sont liées à l'astrologie et nous devons les connaître et planifier nos rituels pour ces périodes, qui seront les plus propices à l'exécution de notre magie.

Rituels de janvier

Janvier 2024

Dimanche	**Lundi**	**Mardi**	**Mercredi**	**Jeudi**	**Vendredi**	**Samedi**
	1				**5**	
	8		**10**	**11** Nouvelle lune		
21		**23**		**25** Pleine lune	**26**	
	29	**30**	**31**			

11 janvier 2024 Nouvelle Lune en Capricorne 20°44'

25 janvier 2024 Pleine Lune Lion5°14

Les meilleurs rituels pour l'argent

Jeudi 11 janvier 2024 *(jour de Jupiter). Nouvelle Lune en Capricorne, signe de stabilité. Journée favorable pour organiser nos objectifs, nos vocations, notre carrière, pour obtenir des honneurs. Pour demander une augmentation, faire des présentations, parler en public. Pour les sorts liés au travail ou à l'argent. Rituels liés à l'obtention de promotions, aux relations avec les supérieurs et à la réussite.*

Jeudi 25 janvier 2024 *(jour de Vénus) Favorable aux sorts d'argent, d'amour et aux questions juridiques. Rituels liés à la prospérité et à l'obtention d'un emploi.*

Rituel pour la chance dans les jeux de hasard

Sur un billet de loterie, vous écrivez le montant que vous voulez gagner au recto du billet et votre nom au verso. Brûlez le billet avec une bougie verte. Recueillez les cendres dans une carte violette et enterrez-les.

Gagner de l'argent avec le Bol de Lune. Pleine Lune

C'est nécessaire :
- 1 verre en cristal
- 1 grande assiette
- Sable fin
- Paillettes d'or
- 4 tasses de sel marin
- 1 quartz malachite
- 1 tasse d'eau de mer, de rivière ou d'eau bénite
- Bâtons de cannelle ou cannelle en poudre
- Basilic frais ou séché
- Persil frais ou séché
- Grains de maïs
- 3 notes sur les désignations actuelles

Placez les trois billets de banque pliés, les bâtons de cannelle, les grains de maïs, la malachite, le basilic et le persil dans le verre. Mélangez les paillettes au sable et ajoutez-en dans le verre jusqu'à ce qu'il soit complètement rempli. Sous la lumière de la pleine lune, placez l'assiette avec les quatre tasses de sel de mer.

Placez la coupe au centre du plat, entourée de sel. Versez la coupe d'eau bénite dans le plat de manière à bien humidifier le sel, laissez-le là toute la nuit à la lumière de la pleine lune et une partie de la journée jusqu'à ce que l'eau s'évapore et que le sel soit à nouveau sec.

Ajouter quatre ou cinq grains de sel dans le verre et verser le reste.

Portez le verre dans la maison, dans un endroit visible ou dans l'endroit où vous gardez l'argent.

Chaque jour de pleine lune, dispersez un peu du contenu du bol dans tous les coins de la maison et balayez-le le lendemain.

Les meilleurs rituels pour l'amour

Vendredi 19 janvier 2024 *(Jour de Vénus). Convient aux sorts et rituels liés à l'amour, aux contrats et aux partenariats.*

Sortilège pour adoucir un être cher

Vous écrivez le nom complet de votre proche et votre propre nom au-dessus sept fois sur un morceau de papier brun.

Mettez ce papier dans un verre et ajoutez-y du miel, de la cannelle, un quartz rose et des morceaux d'écorce d'orange.

Tout en accomplissant le rituel, répétez dans votre esprit : "Je t'aime et seul le véritable amour règne entre nous". Conservez-la dans un endroit sombre.

Rituel pour attirer l'amour

Il est nécessaire

- Huile de rose

- 1 quartz rose

- 1 pomme

- 1 rose rouge dans un petit vase

- 1 rose blanche dans un petit vase

- 1 long ruban rouge

- 1 bougie rouge

Pour une efficacité maximale, ce rituel doit être effectué le vendredi ou le dimanche, à l'heure des planètes Vénus ou Jupiter.

Il est nécessaire de consacrer la bougie avant de commencer le rituel à l'huile de rose. Allumez la bougie. Coupez la pomme en deux morceaux et placez-en un dans le vase de roses rouges et l'autre dans le vase de roses blanches. Attachez le ruban rouge autour des deux vases. Laissez-les à côté de la bougie toute la nuit jusqu'à ce que la bougie soit éteinte. Pendant ce temps, répétez dans votre esprit : "Que la personne destinée à me rendre heureux se présente sur mon chemin, je l'accueille et je l'accepte.

Lorsque les roses sont sèches, enterrez-les avec les moitiés de pommes dans votre jardin ou dans un pot avec du quartz rose.

Pour attirer l'amour impossible

C'est nécessaire :
- 1 rose rouge
- 1 rose blanche
- 1 bougie rouge
- 1 bougie blanche
- 3 bougies jaunes
- Fontaine en verre
- Pentacle de Vénus #4

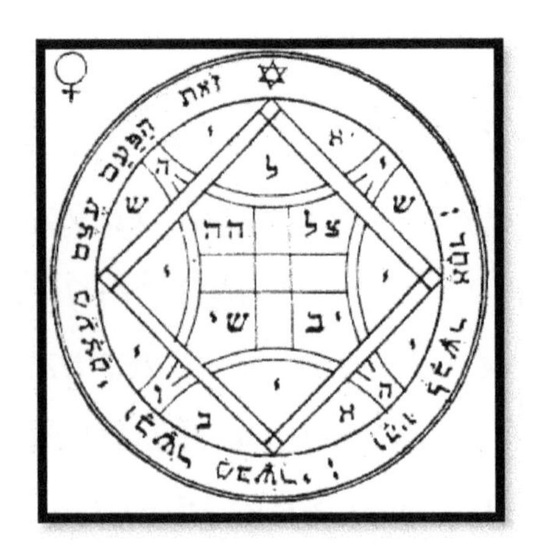

Pentacle de Vénus n° 4.

Placez les bougies jaunes en forme de triangle. Écrivez vos souhaits d'amour et le nom de la personne que vous voulez dans votre vie au dos du pentagramme de Vénus, placez la fontaine au-dessus du pentagramme, au centre. Allumez la bougie rouge et la bougie blanche et placez-les dans la fontaine avec les roses. Répétez cette phrase : "Univers, fais entrer dans mon cœur la lumière de l'amour de (nom complet)".

Répétez cette opération trois fois. Lorsque les bougies sont éteintes, emportez le tout dans la cour et enterrez-le.

Les meilleurs rituels pour la santé

Mardi 30 janvier 2024 (Jour de Mars). *Pour se protéger ou recouvrer la santé.*

Sortilège pour protéger la santé de nos animaux de compagnie

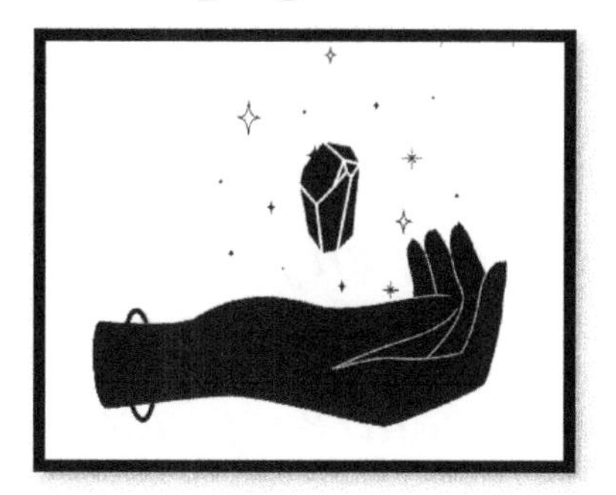

Faites bouillir de l'eau minérale, du thym, du romarin et de la menthe. Lorsqu'elle refroidit, la mettre dans un flacon pulvérisateur devant une bougie verte et une bougie dorée.

Une fois les bougies consommées, il est nécessaire d'utiliser ce spray sur l'animal pendant neuf jours. Surtout sur la poitrine et le dos.

Sort d'amélioration instantanée

Vous devriez obtenir une bougie blanche, une bougie verte et une bougie jaune.

Consacrez-les (de la base à la mèche) avec de l'essence de pin et placez-les sur une table avec une nappe bleue en forme de triangle.

Au centre, placez un petit récipient en verre contenant de l'alcool et une petite améthyste.

Au fond du récipient, une feuille de papier avec le nom de la personne malade ou une photographie avec le nom complet et la date de naissance au dos.

Allumez les trois bougies et laissez-les brûler jusqu'à ce qu'elles soient complètement consumées.

Pendant l'exécution de ce rituel, visualisez la personne en parfaite santé.

Le charme de l'amincissement

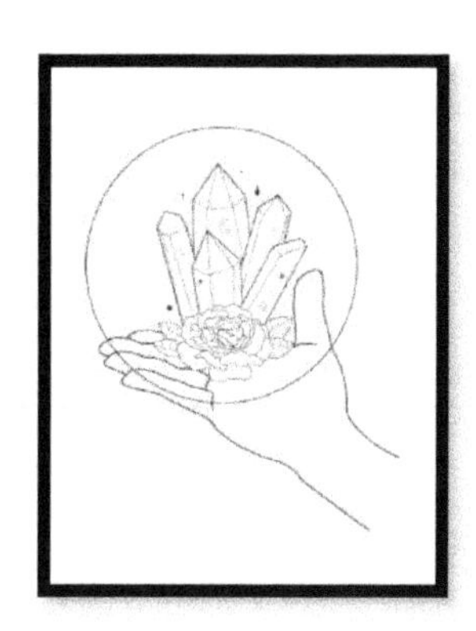

Piquez votre doigt avec une épingle et placez trois gouttes de sang et une cuillerée de sucre sur un morceau de papier blanc, puis fermez le papier et enveloppez le sang dans le sucre.

Mettez ce papier dans un récipient en verre neuf et non décoré, remplissez-le à moitié d'urine, laissez-le toute la nuit devant une bougie blanche et enterrez-le le lendemain.

Rituels pour le mois de février

Février 2024

Dimanche	Lundi	Mardi	Mercredi	Jeudi	Vendredi	Samedi
				1		
	5			8	9 Nouvelle lune	10
			21		23 Pleine lune	
25	26			29		

9 février 2024 Nouvelle Lune Verseau 20°40

23 février 2024 Pleine Lune Vierge 5°22

Les meilleurs rituels pour gagner de l'argent

9 février 2024 (jour de Vénus). Dans cette phase, nous travaillons pour augmenter ou attirer quelque chose. Dans ce cycle, nous demandons que l'amour vienne, que l'argent augmente sur nos comptes ou que notre prestige au travail augmente.

Rituel pour augmenter la clientèle. Croissant de lune gibbeux

C'est nécessaire :

- 5 feuilles de rue
- 5 feuilles de verveine
- 5 feuilles de romarin
- 5 grains de gros sel de mer
- 5 grains de café
- 5 grains de blé
- 1 pierre magnétique
- 1 sac en tissu blanc
- Fil rouge
- Peinture rouge
- 1 carte de visite
- 1 pot avec une grande plante verte

- 4 quartz citrine

Placez tous les matériaux dans le sac blanc, à l'exception de l'aimant, du carton et des citrines.

Cousez-le ensuite avec du fil rouge et écrivez le nom de l'entreprise à l'extérieur à l'encre rouge. Laissez le sac sous le comptoir ou dans un tiroir du bureau pendant toute une semaine.

Après ce temps, enterrez-la au fond du vase avec la pierre d'aimant et la carte de visite. Enfin, placez les quatre citrines au-dessus de la terre dans le vase, en direction des quatre points cardinaux.

Sort de prospérité

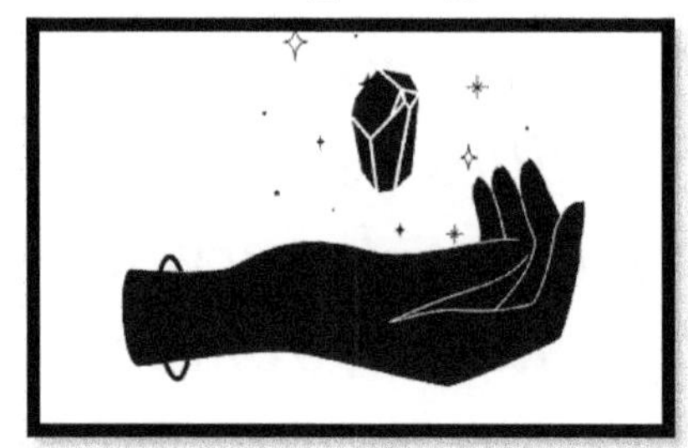

C'est nécessaire :

- 3 pyrites ou quartz citrine

- 3 pièces d'or

- 1 bougie dorée

- 1 sachet rouge

Le premier jour de la Nouvelle Lune, placez une table près d'une fenêtre ; placez les pièces de monnaie et le quartz en forme de triangle sur la table. Allumez la bougie, placez-la au centre et, en regardant le ciel, répétez trois fois la prière suivante :

"Lune tu illumines ma vie, utilise le pouvoir que tu as pour attirer l'argent vers moi et faire se multiplier ces pièces".

Lorsque la bougie est éteinte, placez les pièces et le quartz dans le sac rouge de votre main droite et portez-le toujours sur vous : ce sera votre talisman pour attirer l'argent, personne ne doit le toucher.

Les meilleurs rituels pour l'amour

11, 22, 25 février 2024. Pour les sorts ou rituels liés à l'amour, aux contrats et aux partenariats.

Rituel de consolidation de l'amour

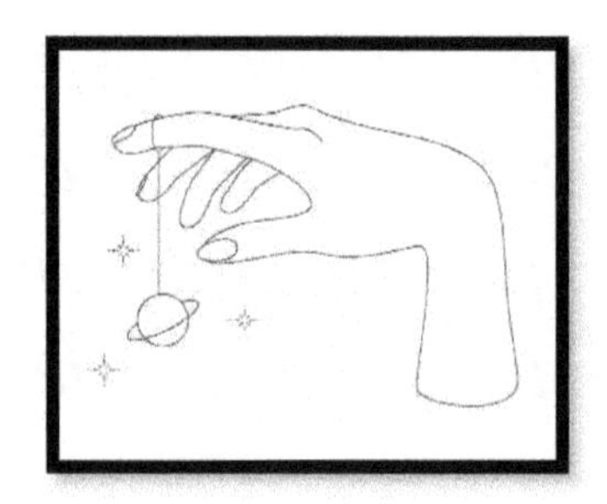

Ce sort est le plus efficace pendant la phase de pleine lune.

C'est nécessaire :
- 1 boîte en bois
- Photographies
- Mel
- Pétales de roses rouges
- 1 quartz améthyste
- Bâtons de cannelle

Prenez les photos, écrivez-y leurs nom, prénom et date de naissance et placez-les à l'intérieur de la boîte de manière qu'elles se fassent face.

Ajouter le miel, les pétales de rose, l'améthyste et la cannelle.

Placez la boîte sous le lit pendant treize jours. Après cette période, retirez l'améthyste de la boîte et lavez-la avec de l'eau de lune.

Il doit être conservé comme amulette pour attirer l'amour désiré. Le reste doit être emporté dans une rivière ou une forêt.

Rituel pour sauver un amour en déclin

C'est nécessaire :

- 2 bougies rouges

- 1 feuille de papier jaune

- 1 enveloppe rouge

- 1 crayon rouge

- 1 photo de votre proche et 1 photo de vous-même

- 1 conteneur métallique

- 1 ruban rouge

- Nouvelle aiguille à coudre

Ce rituel est plus efficace pendant la phase du croissant de lune et les vendredis à la planète Vénus ou au soleil. Les bougies doivent être consacrées avec de l'huile de rose ou de cannelle.

Écrivez votre nom et celui de votre partenaire sur le papier jaune avec le crayon rouge. Écrivez également ce que vous voulez en mots courts mais précis. Inscrivez les noms sur chaque bougie à l'aide de l'aiguille à coudre. Allumez les bougies et placez le papier entre les photos, face à face, et attachez-les avec le ruban. Brûlez les photos dans le récipient métallique avec la bougie portant votre nom et répétez-le à haute voix :

"La nôtre est renforcée par la force de l'univers et toutes les énergies qui existent dans le temps".

Mettez les cendres dans le sac et, lorsque les bougies sont éteintes, placez le sac sous le matelas à la tête du lit.

Les meilleurs rituels pour la santé

4,12,19 février 2024. Cette période est conseillée pour les opérations chirurgicales, car elle favorise la cicatrisation.

Rituel de santé

Faire bouillir des pétales de rose blanche, du romarin et de la rue dans une casserole. Une fois refroidie, ajoutez de l'essence de rose et de l'huile d'amande. Allumez cinq bougies violettes dans votre bain, que vous aurez préalablement consacré avec de l'huile d'orange et de l'eucalyptus. Écrivez le nom de la personne sur l'une des bougies. Prenez un bain avec cette eau et, ce faisant, visualisez que la maladie ne s'approchera pas de vous ou de votre famille.

Rituel de santé pendant la phase du croissant de lune

Sur une feuille d'aluminium, placez du sel marin, 3 gousses d'ail, 4 feuilles de laurier, 5 feuilles de rue, une tourmaline noire et un morceau de papier portant

le nom de la personne. Pliez le papier et attachez-le avec un ruban violet. Portez cette amulette dans la poche de votre veste ou dans votre sac.

Rituels pour le mois de mars

Mars 2024

Dimanche	**Lundi**	**Mardi**	**Mercredi**	**Jeudi**	**Vendredi**	**Samedi**
					1	
		5			**8**	**9**
10 Nouvelle lune						
				21		**23**
24 Pleine lune	**25**	**26**			**29**	**30**
31						

10 mars 2024 Nouvelle Lune Poissons 20°16'.

24 mars 2024 Pleine Lune Balance 5°07' (éclipse de Lune 5°13')

Les meilleurs rituels pour gagner de l'argent

8,10,22 mars 2024. Rituels liés à la prospérité et à l'obtention d'un emploi.

Sorts pour réussir les entretiens d'embauche.

Placez trois feuilles de sauge, de basilic, de persil et de rue dans un sac vert. Ajouter un quartz œil de tigre et une malachite.

Fermez le sac avec un ruban doré. Pour l'activer, placez-le dans votre main gauche à hauteur du cœur et, quelques centimètres plus haut, placez votre main droite par-dessus, fermez les yeux et imaginez que de l'énergie blanche s'écoule de votre main droite dans votre main gauche, recouvrant le sac.

Garde-le dans votre portefeuille ou votre poche.

Rituel permettant de s'assurer que l'argent est toujours présent dans le foyer.

Vous aurez besoin d'un pot en verre blanc, de haricots noirs, de haricots rouges, de graines de tournesol, de grains de maïs, de grains de blé et d'encens de myrrhe.

Mettez tout dans la bouteille dans le même ordre, fermez-la avec un couvercle en liège et versez la fumée d'encens dans la bouteille. Placez-la ensuite comme décoration dans la cuisine.

Sortilège gitan pour la prospérité

Prenez un pot en terre cuite de taille moyenne et colorez-le en vert. Mettez au fond de la myrrhe, une pièce de monnaie et quelques gouttes d'huile d'olive.

Recouvrez d'une couche de terre et ajoutez les graines de votre plante préférée. Ajoutez de la cannelle et encore de la terre. Placez le pot dans la salle à manger et arrosez-le pour qu'il pousse.

Les meilleurs rituels pour l'amour

1, 17, 24, 29 mars 2024

Rituel pour éviter les problèmes relationnels

Ce rituel doit être pratiqué pendant l'éclipse lunaire ou la phase de pleine lune.

C'est nécessaire :
- 1 ruban adhésif blanc
- 1 paire de ciseaux neufs
- 1 stylo à bille rouge

Écrivez sur le ruban blanc, à l'encre rouge, le problème que vous rencontrez et le nom de la personne. Coupez-le ensuite en sept morceaux avec des ciseaux et, ce faisant, répétez-le à voix haute :

"C'est mon problème. Je veux que vous partiez et que vous ne reveniez jamais. S'il vous plaît, éloignez-le de moi. C'est comme ça.

Mettez tout dans un sac noir et enterrez-le.

Cravates d'amour

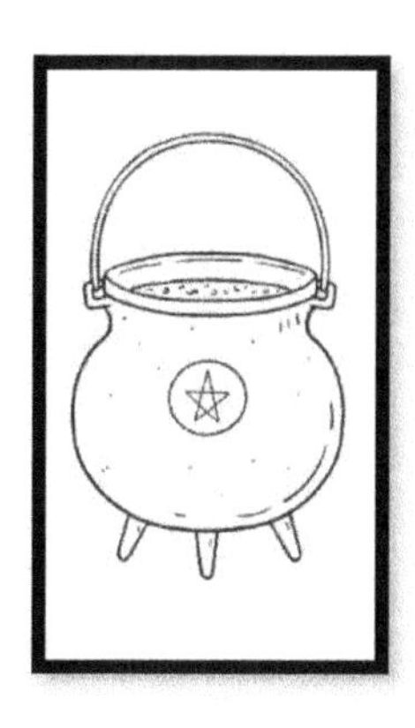

C'est nécessaire :

- Bonne herbe

- Basilic

- Photo en pied de la personne aimée sans lunettes

- Photo du corps entier sans lunettes

- 1 écharpe en soie jaune

- 1 boîte en bois

Placez les deux photographies à l'intérieur de la boîte en inscrivant le nom au dos de chacune d'elles. Placez le mouchoir jaune à l'intérieur et saupoudrez-

le de basilic et de bonne herbe. Laissez-l 'exposé aux énergies de la lune. Le lendemain, enterrez-le dans un endroit où personne ne le sait. Tout en creusant le trou, visualisez ce que vous voulez. À la pleine lune, déterrez la boîte et jetez-la dans une rivière ou dans la mer.

Les meilleurs rituels pour la santé

Tous les jours sauf le samedi.

Sort de dépression

Prenez une figue avec votre main droite et placez-la sur le côté gauche de votre bouche, sans ne la mâcher ni l'avaler. Prends ensuite un raisin avec ta main gauche et place-le sur le côté droit de ta bouche, sans le mâcher. Lorsque tu as les deux raisins dans la bouche, mords-les en même temps et avale-les : le fructose qu'ils dégagent te donnera de l'énergie et de la joie.

Sort de récupération

Éléments nécessaires :

-1 bougie blanche ou rose

-Des pétales de rose

-Huile d' eucalyptus

-Huile de citron

-Huile d'orange

Écrivez le nom de la personne qui a besoin du sort à l'aide d'une aiguille à coudre. Consacrez la bougie avec les huiles sous la pleine lune, en répétant : "La Terre, l'Air, le Feu, l'Eau apportent la Paix, la Santé, la Joie et l'Amour dans la vie de (dites le nom de la personne)". Laissez la bougie se consumer complètement. Les restes peuvent être jetés n'importe où.

Rituels pour le mois d'avril

Avril 2024

Dimanche	**Lundi**	**Mardi**	**Mercredi**	**Jeudi**	**Vendredi**	**Samedi**
	1				**5**	
	8 Nouvelle lune	**9**	**10**			
21	**22** Pleine lune	**23**		**25**	**26**	
	29	**30**				

8 avril 2024 Nouvelle Lune et éclipse solaire totale en Bélier19°22 '.

22 avril 2024 Pleine Lune du Scorpion 23° :48'

Les meilleurs rituels pour l'argent

8, 7, 13, 22 avril 2024

Sort "Ouvrir les voies de l'abondance".

C'est nécessaire :
- Je serai diplômé
- Romero
- 3 pièces d'or
- 1 bougie dorée
- Bougie argentée
- 1 bougie blanche

Effectuer 24 heures après la Nouvelle Lune.

Disposez les bougies en forme de pyramide, placez une pièce de monnaie à côté de chacune d'elles et les feuilles de laurier et de romarin au centre de ce triangle. Allumez les bougies dans l'ordre suivant : d'abord l'argent, le blanc et l'or. Répétez cette invocation : "Avec la puissance de l'énergie purificatrice et de l'énergie infinie, j'invoque l'aide de toutes les entités qui me protègent pour guérir mon économie.

Laissez les bougies brûler complètement et gardez les pièces dans votre portefeuille ; ces trois pièces ne doivent pas être dépensées. Lorsque le laurier et le romarin sont secs, brûlez-les et faites passer la fumée de cet encens dans votre maison ou votre entreprise.

Les meilleurs rituels pour l'amour

2, 13, 17 avril 2024

L'amour marocain

C'est nécessaire :

- La salive de l'autre personne
- Le sang de quelqu'un d'autre

- Eau de rose
- 1 écharpe rouge
- Fil rouge
- 1 quartz rose

- 1 tourmaline noire

Placez le mouchoir rouge sur une table. Placez de la terre sur le mouchoir et, par-dessus, de la salive, du quartz rose, de la tourmaline noire et le sang de la personne que vous voulez attirer. Arrosez le tout d'eau de rose et nouez le mouchoir avec le fil rouge, en veillant à ce que les éléments ne se détachent pas. Enterrez le foulard.

Sortilège pour adoucir un être cher

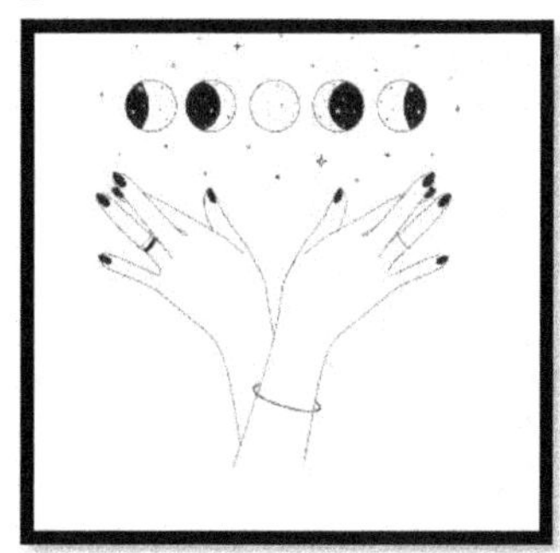

Écrivez sept fois le nom complet de votre proche et le vôtre ci-dessus sur un morceau de papier brun. Placez ce papier dans un verre de cristal et ajoutez-y du miel, de la cannelle, un quartz rose et des morceaux d'écorce d'orange. Tout en effectuant le rituel, répétez dans votre esprit : "Je t'aime et seul le véritable amour règne entre nous".

Conserver à l'abri de la lumière.

Les meilleurs rituels pour la santé

13, 21 et 27 avril 2024.

Sort de santé romain

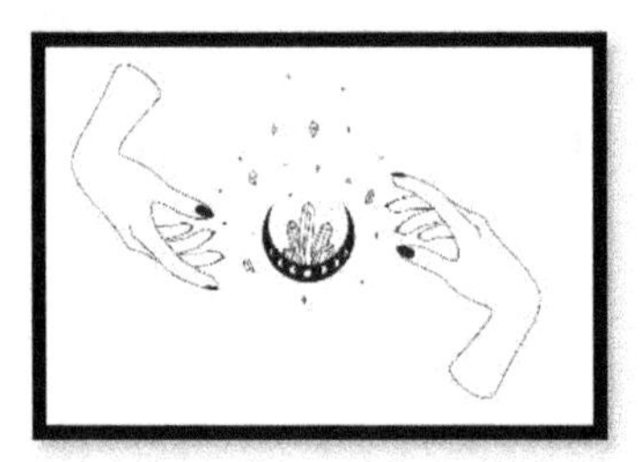

Ajouter cinq feuilles de romarin, de la rue et des pétales de rose blanche et les faire bouillir. Une fois froid, placer le mélange sur le troisième pentagramme de Mercure pendant trois heures. Ajouter de l'essence de bois de santal, de l'huile de rose et de l'huile de lavande. Offrir ces bains aux anges gardiens de l'enfant pendant cinq jours, en allumant une bougie violette pour transformer le négatif en positif, qui doit être préalablement consacrée avec de l'huile de mandarine.

Troisième pentacle de Mercure

Rituels pour le mois de mai

Mai 2024

Dimanche	Lundi	Mardi	Mercredi	Jeudi	Vendredi	Samedi
			1			
5			**8** Nouvelle lune	**9**	**10**	
		21	**22** Pleine lune	**23**		**25**
26			**29**	**30**	**31**	

8 mai 2024 Nouvelle Lune en Taureau 18°01'.

22 mai 2024 Pleine Lune Sagittaire 2°54'

Les meilleurs rituels pour gagner de l'argent

6, 13, 21, 25 mai 2024

Aimant à argent Crescent

C'est nécessaire :

- 1 verre à vin vide

- 2 bougies vertes

- 1 poignée de riz blanc

- 12 pièces ayant cours légal

- 1 aimant

- Riz blanc

Allumez les deux bougies, une de chaque côté du verre. Placez l'aimant au fond du verre. Prenez ensuite une poignée de riz blanc et placez-la dans le verre. Placez ensuite les douze pièces de monnaie dans le verre. Lorsque les bougies sont consumées jusqu'au bout, placez les pièces dans le coin de prospérité de votre maison ou de votre entreprise.

Sort pour nettoyer la maison ou l'entreprise de toute négativité.

C'est nécessaire :
- Une coquille d'œuf
- 1 bouquet de fleurs blanches
- Eau bénite ou eau de pleine lune
- Lait
- Cannelle en poudre
- Nouveau seau de nettoyage
- New mo'

Commencez par balayer la maison ou l'entreprise de l'intérieur vers l'extérieur, en vous répétant dans votre esprit de faire sortir le négatif et de faire entrer le positif. Mélangez tous les ingrédients dans le seau et balayez le sol de l'intérieur jusqu'à l'extérieur de la porte d'entrée.

Laissez sécher le sol et balayez les fleurs jusqu'à la porte de la rue, ramassez-les et jetez-les dans la poubelle avec le seau et la serpillière. Ne touchez à rien avec vos mains. Cette opération doit être effectuée une fois par semaine, de préférence à l'heure de la planète Jupiter.

Les meilleurs rituels pour l'amour

22 mai Pleine lune.

Des liens d'amour indéfectibles

C'est nécessaire :
- 1 ruban vert
- 1 stylo-feutre rouge

Prenez le ruban vert et écrivez à l'encre rouge votre prénom, votre nom et celui de l'être aimé. Écrivez ensuite trois fois les mots amour, Vénus et passion. Attachez le ruban à votre chevet et faites un nœud tous les soirs pendant neuf nuits consécutives. Après cette période, nouez le ruban en trois nœuds sur votre bras gauche. Lorsque le ruban se rompt, brûlez-le et jetez ses cendres dans la mer ou dans un endroit où l'eau coule.

Rituel parce que je n'aime que toi

Ce rituel est plus efficace s'il est effectué pendant la phase du croissant de lune et le vendredi, à l'heure de la planète Vénus.

C'est nécessaire :
- 1 cuillère à soupe de miel
- 1 Pentacle n°5 de Vénus.
- 1 pinceau avec de la peinture rouge
- 1 bougie blanche
- 1 nouvelle aiguille à coudre

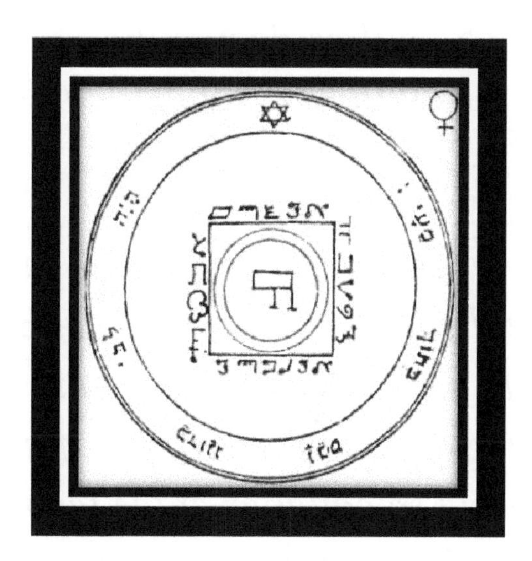

Pentacle de Vénus n° 5.

Au dos du pentagramme de Vénus, écrivez à l'encre rouge le nom complet de la personne que vous aimez et la façon dont vous voulez qu'elle se comporte avec vous, vous devez être précis. Trempez-le ensuite dans du miel et enroulez-le autour de la bougie de manière qu'il adhère à la bougie. Fixez-le avec une aiguille à coudre. Lorsque la bougie est éteinte, enterrez les restes et répétez à haute voix : "L'amour de (nom) n'appartient qu'à moi".

Thé pour oublier un amour

C'est nécessaire :
- 5 feuilles de menthe
- 1 cuillère à soupe de miel
- 3 bâtons de cannelle

Faites bouillir tous les ingrédients dans une tasse d'eau et laissez infuser. Buvez-la en pensant à tout le mal que cette personne vous a fait. Les hommes doivent le boire le mardi ou le mercredi soir avant de se coucher et les femmes le lundi ou le vendredi avant de se coucher.

Rituel des ongles pour l'amour

Couper les ongles des mains et des pieds et les placer dans une poêle en métal à feu moyen pour faire griller tous les restes d'ongles. Retirez-les et réduisez-les en poudre. Donnez cette poudre à votre partenaire avec sa boisson ou son repas.

.

Les meilleurs rituels pour la santé

N'importe quel jour de mai 2024. Sauf le samedi.

Formule magique pour une peau éclatante

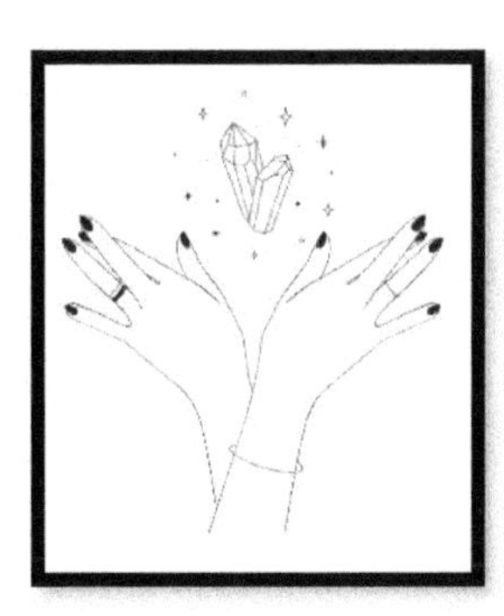

Mélangez huit cuillères à soupe de miel, huit cuillères à café d'huile d'olive, huit cuillères à soupe de sucre

roux, un zeste de citron râpé et quatre gouttes de jus de citron. Une fois que vous avez obtenu une pâte lisse, massez-la sur tout votre corps pendant cinq minutes.

Ensuite, vous prenez une douche, en alternant eau chaude et eau froide.

Sort pour guérir les maux de dents

Il faut faire une étoile à cinq branches avec du sel de mer, grande parce qu'il faut se tenir au milieu.

À chaque extrémité, placez une bougie noire et le symbole du Tétragramme (vous pouvez imprimer l'image), des feuilles de romarin, des feuilles de laurier, des pelures de pommes et des feuilles de lavande.

Lorsqu'il est midi, placez-vous au centre, allumez les bougies et répétez l'opération :

Sanus ossa mea sunt : et labia circa dentes meos

Symbole du tétragramme

Rituels pour le mois de juin

Juin 2024

Dimanche	Lundi	Mardi	Mercredi	Jeudi	Vendredi	Samedi
						1
			5	**6** Nouvelle lune		**8**
	10					
				20 Pleine lune	**21**	
23		**25**	**26**			**29**
30						

6 juin 2024 Nouvelle Lune en Gémeaux 16°17'.

20 juin 2024 Pleine Lune en Capricorne 1°06'.

Les meilleurs rituels pour l'argent

Les 6, 13, 20, 27 sont des jeudis, jours de Jupiter.

Sortilège gitan pour la prospérité

.

Prenez un pot en terre cuite de taille moyenne et colorez-le en vert. Mettez au fond de la myrrhe, une pièce de monnaie et quelques gouttes d'huile d'olive. Recouvrez d'une couche de terre et ajoutez les graines de votre plante préférée. Ajoutez de la cannelle et encore de la terre. Placez le pot dans la salle à manger et arrosez-le pour qu'il pousse.

Fumigation magique pour améliorer l'économie domestique.

Allumez trois braises dans un récipient en métal ou en terre cuite et ajoutez une cuillère à soupe de cannelle, de romarin et d'écorce de pomme séchée. Faites circuler le récipient dans la maison, dans le sens des aiguilles d'une montre.

Mettez ensuite les pétales de roses blanches dans un seau d'eau et laissez-les reposer pendant trois heures.

Avec cette eau, vous nettoierez votre maison.

Essence miraculeuse pour attirer le travail.

Mettez 32 gouttes d'alcool, 20 gouttes d'eau de rose, 10 gouttes d'eau de lavande et quelques feuilles de jasmin dans un flacon en verre foncé.

Vous le secouez plusieurs fois en pensant à ce que vous voulez attirer.

Mettez-le dans un diffuseur et utilisez-le à la maison, au bureau ou comme parfum personnel.

Sort pour se laver les mains et attirer l'argent.

Vous aurez besoin d'un pot d'argile, de miel et d'eau de pleine lune.

L'avez-vous les mains avec ce liquide, mais gardez l'eau dans la casserole.

Laissez ensuite le pot devant une entreprise prospère ou une maison de jeu.

Les meilleurs rituels pour l'amour

N'importe quel jour de juin 2024. Sauf le samedi.

Rituel pour prévenir la casse

C'est nécessaire :
- 1 vase de fleurs rouges
- Mel
- Pentacle de Vénus n° 1
- 1 bougie pyramidale rouge
- Photo de la personne aimée
- 7 bougies jaunes

Pentacle de Vénus n° 1.

Allumez les sept bougies jaunes en cercle. Puis écrivez l'incantation suivante derrière le pentagramme de Vénus :

"Je te demande de m'aimer pour la vie, mon amour le plus cher" et le nom de l'autre personne. Enterrez ce pentagramme dans le vase après l'avoir plié en cinq avec la photo.

Allumez la bougie rouge et versez du miel dans la terre du vase.

Ce faisant, répétez à haute voix l'incantation suivante : "Par le pouvoir de l'Amour, nous demandons que (nom de la personne), dans un sentiment d'amour véritable qui est le mien, soit préservé afin que personne ni aucune force ne puisse nous séparer".

Lorsque les bougies sont usées, nous jetons les restes à la poubelle. Nous gardons le vase à portée de main et en prenons soin.

Sortilège érotique

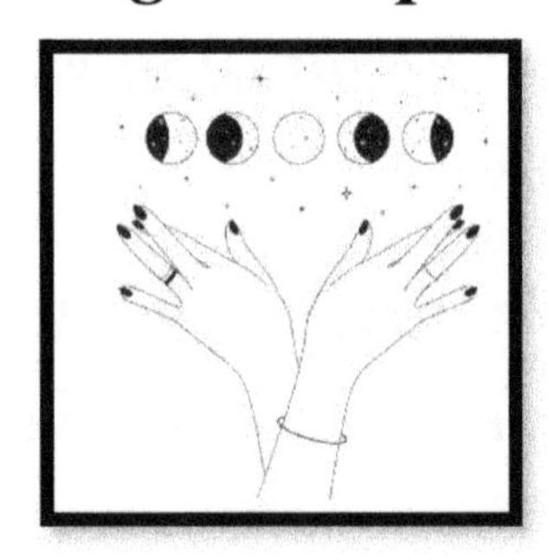

Vous recevez une bougie rouge en forme de pénis ou de vagin (selon le sexe de la personne qui lance le sort). Écrivez le nom de l'autre personne sur la bougie.

Elle doit être graissée avec de l'huile de tournesol et de la cannelle.

Il faut l'allumer une fois par jour, en le laissant brûler jusqu'à deux centimètres.

Lorsque la bougie est entièrement consumée, placez les restes dans un sac en tissu rouge avec le pentagramme de Mars n° 4.

Ce sachet doit être conservé sous le matelas pendant quinze jours.

Passé ce délai, vous pouvez le jeter à la poubelle.

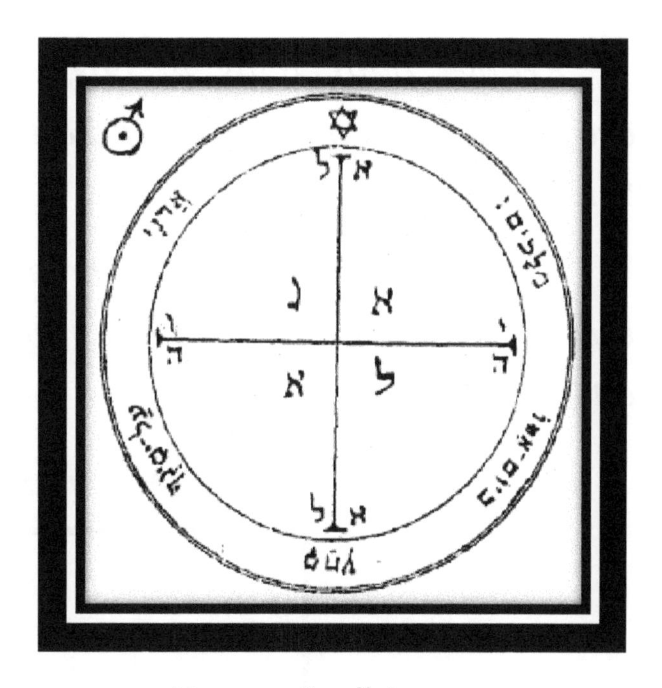

Pentacle #4 mars

Rituel de l'œuf pour l'attraction

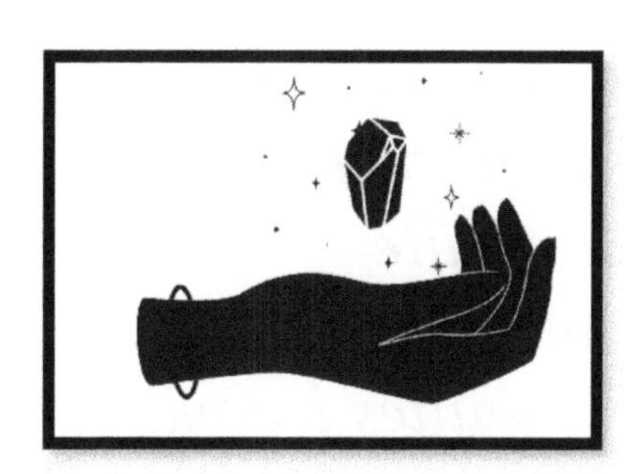

C'est nécessaire :
- 4 œufs
- Peinture jaune

Tu dois colorier les quatre œufs en jaune et écrire la phrase "il vient à moi".

Prenez deux œufs et cassez-les dans les coins devant la maison de la personne que vous voulez attirer.

Un autre œuf est cassé devant la maison de cette personne. Le troisième jour, on jette le quatrième œuf dans une rivière.

Sort d'amour africain

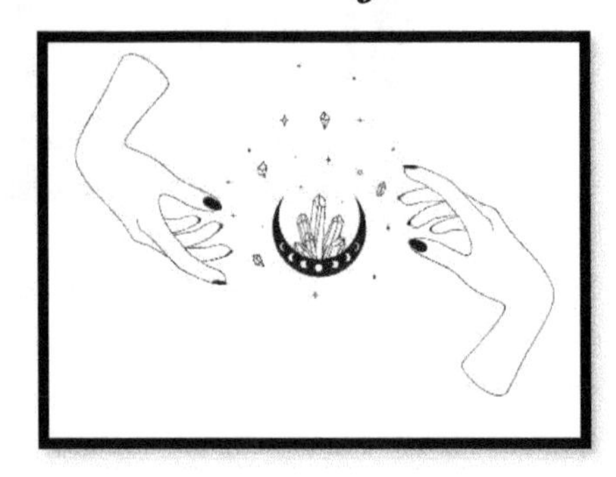

C'est nécessaire :
- 1 œuf
- 5 bougies rouges
- 1 écharpe noire
- Citrouille
- Huile de cannelle
- 5 aiguilles à coudre
- Miel d'abeille
- Huile d'olive
- 5 morceaux de pâte à pain
- Poivre de Guinée

Faites un trou dans la citrouille, écrivez le nom complet de la personne que vous voulez attirer sur un morceau de papier et placez-le à l'intérieur de la citrouille.

Percez la calebasse avec des aiguilles en répétant le nom de la personne. Verser les autres ingrédients dans la calebasse et l'envelopper dans un foulard noir. Laisser la calebasse ainsi enveloppée pendant cinq jours devant des bougies rouges, une par jour. Le sixième jour, enterrer la calebasse au bord d'une rivière.

Les meilleurs rituels pour la santé

N'importe quel jour de juin 2024

Le charme de l'amincissement

Piquez votre doigt avec une épingle et placez trois gouttes de sang et une cuillerée de sucre sur un

morceau de papier blanc, puis fermez le papier et enveloppez le sang dans le sucre.

Mettez ce papier dans un récipient en verre neuf et non décoré, remplissez-le à moitié d'urine, laissez-le toute la nuit devant une bougie blanche et enterrez-le le lendemain.

Sortilège de maintien de la santé

Éléments nécessaires.

-1 bougie blanche.

-1 carte sacrée de l'Ange de votre dévotion.

-3 encens de bois de santal.

-Carbone végétal.

-Herbes d' eucalyptus et de basilic séchées.

-Une poignée de riz, une poignée de blé.

-1 assiette ou plateau blanc.

-8 pétales de rose.

-1 bouteille de parfum, les gars.

-1 boîte en bois.

Nettoyez la pièce en allumant les braises dans un récipient en métal. Lorsque les braises sont bien allumées, placez les herbes séchées dessus, petit à petit, et faites le tour de la pièce avec le récipient afin d'éliminer les énergies négatives.

Lorsque l'encens est terminé, les fenêtres doivent être ouvertes pour que la fumée se disperse.

Préparez un autel sur une table recouverte d'une nappe blanche. Placez le saint choisi et autour de lui les trois bâtons d'encens en forme de triangle. Consacrer le cierge blanc, l'allumer et le placer devant l'ange, avec le parfum découvert.

Vous devez être détendu et vous concentrer sur votre respiration. Visualisez votre ange et remerciez-le pour toute la santé que vous avez et que vous aurez toujours, cette gratitude doit venir du fond de votre cœur.

Après avoir remercié, vous lui donnez en offrande la poignée de riz et la poignée de céréales, qu'il déposera sur le plateau ou l'assiette blanche.

Répandez tous les pétales de rose sur l'autel, en remerciant à nouveau pour les faveurs reçues. Une fois les remerciements terminés, laissez la bougie allumée jusqu'à ce qu'elle soit complètement consumée. La dernière chose à faire est de ramasser tous les restes de la bougie, de l'encens, du riz et du blé, de les mettre dans un sac en plastique et de le jeter dans un endroit où il y a des arbres, sans le sac.

Placez la carte d'ange et les pétales de rose à l'intérieur de la boîte et conservez-la dans un endroit sûr de votre maison. Le parfum énergisé, utilisez-le lorsque vous ressentez une baisse d'énergie, en visualisant votre ange et en lui demandant sa protection.

Bain protecteur avant l'opération

Éléments nécessaires :

- Cloche violette

- Eau de coco

- Décortiquer

- Cologne 1800

- Toujours en vie

- Feuilles de menthe

- Feuilles de rue

- Feuilles de romarin

- Bougie blanche

- Huile de lavande

Faites bouillir toutes les plantes dans l'eau de coco. Lorsque l'eau refroidit, filtrez-la et ajoutez l'écorce, l'eau de Cologne et l'huile de lavande, puis allumez la bougie à l'extrémité ouest de la baignoire. Versez le mélange dans l'eau du bain. Si vous n'avez pas de bain, versez-le sur vous et ne vous asseyez pas.

Rituels de juillet

Juillet 2024

Dimanche	Lundi	Mardi	Mercredi	Jeudi	Vendredi	Samedi
	1				**5**	**6** Nouvelle lune
	8		**10**			
						20 Pleine lune
21		**23**		**25**	**26**	
	29	**30**	**31**			

6 juillet 2024 Nouvelle Lune en Cancer 14°23'.

20 juillet 2024 Pleine Lune du Capricorne 29°08'

Les meilleurs rituels pour l'argent

Les 6, 20 et 22 juillet, le Soleil entre dans le Lion.

Nettoyer pour obtenir des clients.

Piler dix noisettes décortiquées et un brin de persil dans un mortier et un pilon.

Faire bouillir deux litres d'eau de la Pleine Lune et ajouter les ingrédients hachés. Laisser bouillir pendant dix minutes et filtrer.

Avec cette infusion, vous nettoierez les sols de votre entreprise, de la porte d'entrée à la porte de sortie.

Répétez ce nettoyage tous les lundis et jeudis pendant un mois, idéalement dans la période de la planète Mercure.

Elle attire l'abondance matérielle. Croissant de lune

C'est nécessaire :

- 1 pièce d'or ou objet en or, sans pierre.

- 1 pièce de monnaie en cuivre

- 1 pièce d'argent

Par une nuit de croissant de lune, avec les pièces en main, rendez-vous à un endroit où les rayons de la lune les illumineront.

Les mains levées, répétez : "Lune, aide-moi à faire en sorte que ma fortune grandisse toujours et que la prospérité soit toujours au rendez-vous".

Laissez les pièces toucher vos mains.

Rangez-les ensuite dans votre portefeuille. Vous pouvez répéter ce rituel chaque mois.

Le sortilège permet de créer un bouclier économique pour votre entreprise ou votre commerce.

C'est nécessaire :
- 5 pétales de fleurs jaunes
- Graines de tournesol
- Écorce de citron séchée au soleil
- Farine de blé
- 3 pièces par jour

Piler les fleurs jaunes et les graines de tournesol dans un mortier et un pilon, puis ajouter le zeste de citron et la farine de blé.

Mélangez bien les ingrédients et conservez-les avec les trois pièces dans un bocal hermétique.

Cette préparation doit être utilisée tous les matins avant de quitter le domicile.

Placez d'abord les cinq doigts de votre main gauche, puis les cinq doigts de votre main droite dans le pot, puis frottez-les ensemble avec vos paumes.

Les meilleurs rituels pour l'amour

N'importe quel jour de juillet.

Sort de l'argent exprimé.

Ce sort est plus efficace s'il est lancé un jeudi.

Remplir un bol en verre avec du riz.

Allumez ensuite une bougie verte (que vous aurez préalablement consacrée) et placez-la au centre de la fontaine.

Allumez l'encens de cannelle et faites six fois le tour de la fontaine avec sa fumée dans le sens des aiguilles d'une montre.

Ce faisant, répétez mentalement : "J'ouvre mon esprit et mon cœur à la richesse".

L'abondance vient à moi maintenant et tout va bien.

L'univers rayonne de richesse dans ma vie en ce moment. Les restes peuvent être jetés à la poubelle.

Salle de bain pour attirer les gains économiques

C'est nécessaire :

- 1 plante de rue

- Eau florale

- 5 fleurs jaunes

- 5 cuillères à soupe de miel

- 5 bâtons de cannelle

- 5 gouttes d'essence de santal

- 1 bâton d'encens de santal

Le premier jour du croissant de lune, à un moment propice à la prospérité, faites bouillir tous les ingrédients pendant cinq minutes, à l'exception de l'Agua Florida et de l'encens. Répartissez ce bain car vous devez le faire pendant cinq jours. Ce qui n'est pas utilisé doit être conservé au froid. Ajoutez un peu d'Agua Florida à la préparation et allumez l'encens. Prenez le bain et rincez-vous comme d'habitude. Faites couler lentement la préparation du cou jusqu'aux pieds. Procédez ainsi pendant cinq jours consécutifs.

Les meilleurs rituels pour la santé

N'importe quel jour de juillet.

Épeler la douleur chronique.

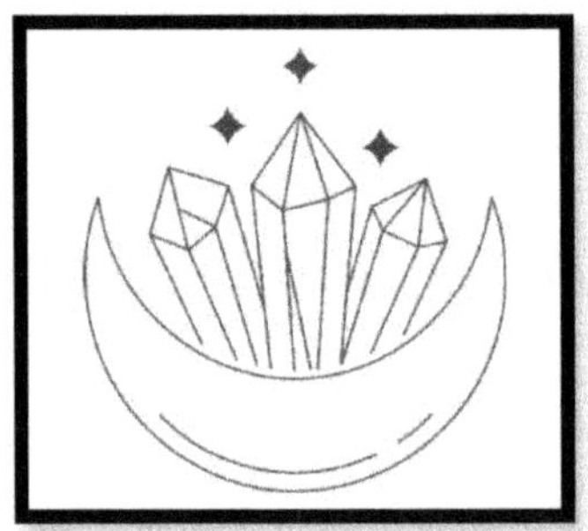

Éléments nécessaires :

-1 bougie dorée

-1 bougie blanche

-1 bougie verte

-1 Tourmaline noire

-1 photo de soi ou d'un objet personnel

-1 verre de moonshine

-Photo d'une personne ou d'un objet

Disposez les 3 bougies en forme de triangle et placez la photo ou l'objet personnel au centre. Placez le verre d'alcool de contrebande sur la photo et versez la tourmaline à l'intérieur. Allumez ensuite les bougies et répétez l'incantation suivante : "J'allume cette bougie pour obtenir ma guérison, en invoquant mes feux intérieurs et les salamandres et ondines protectrices pour transmettre cette douleur et ce malaise dans l'énergie curative de la santé et du bien-être". Répétez cette prière trois fois. Une fois la prière terminée, prenez le verre, retirez la tourmaline et versez l'eau dans une canalisation de la maison, éteignez les bougies avec vos doigts et gardez-les pour répéter ce sort jusqu'à ce que vous soyez complètement rétabli. La tourmaline peut être utilisée comme amulette de santé.

Sort d'amélioration instantanée

Prenez une bougie blanche, une verte et une jaune. Consacrez-les (de la base à la mèche) avec de l'essence de pin et placez-les sur une table avec une nappe bleue, en forme de triangle. Au centre, placez un petit récipient en verre contenant de l'alcool et une petite améthyste. A la base du récipient, une feuille de papier avec le nom de la personne malade ou une photo avec son nom et prénom au dos et sa date de naissance. Allumez les trois bougies et laissez-les brûler jusqu'à ce qu'elles soient complètement consumées. Tout en accomplissant ce rituel, visualisez la personne en parfaite santé.

Rituels pour le mois d'août

Août 2024

Dimanche	Lundi	Mardi	Mercredi	Jeudi	Vendredi	Samedi
				1		
4 Nouvelle lune	**5**			**8**		**10**
18 Pleine lune			**21**		**23**	
25	**26**			**29**	**30**	**31**

4 août 2024 Nouvelle Lune Lion 12°33'

18 août 2024 Pleine Lune Verseau 27°14'.

Les meilleurs rituels pour l'argent

4,5 août 2024

Miroir magique pour l'argent. Pleine lune

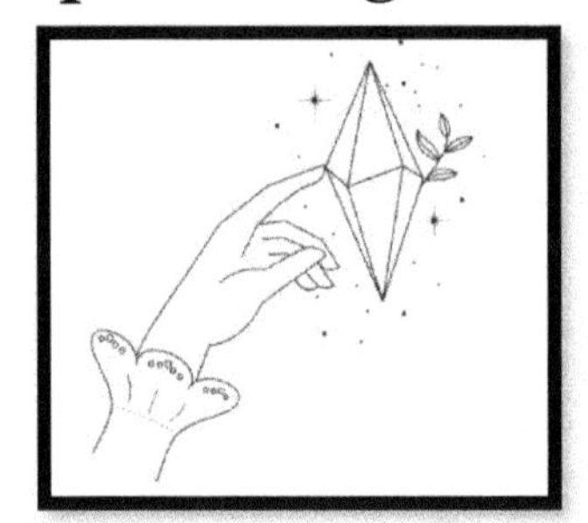

Prenez un miroir de 40 à 50 cm de diamètre et peignez le cadre en noir. Lavez le miroir avec de l'eau bénite et recouvrez-le d'un tissu noir.

La première nuit de la pleine lune, exposez-le aux rayons de la lune de façon que vous puissiez voir le disque lunaire entier dans le miroir. Demandez à la lune de consacrer ce miroir pour qu'il illumine vos souhaits.

La nuit de la prochaine Pleine Lune, dessinez sept fois le symbole de l'argent avec un crayon à lèvres ($$$$$$$).

Fermez les yeux et visualisez-vous avec toute l'abondance matérielle que vous désirez. Laissez les symboles dessinés jusqu'au lendemain matin.

Nettoyez ensuite le miroir avec de l'eau bénite jusqu'à ce qu'il ne reste plus aucune trace du vernis utilisé. Conservez le miroir dans un endroit où personne ne peut le toucher.

Pour répéter le sort, il faut recharger l'énergie du miroir trois fois par an à l'occasion de la pleine lune.

Si vous le faites à un moment planétaire lié à la prospérité, vous ajouterez une énergie suprême à votre intention.

Rituel pour accélérer les ventes. Nouvelle Lune

C'est une recette efficace pour protéger l'argent, multiplier les ventes de votre entreprise et restaurer énergétiquement le lieu.

C'est nécessaire :

-1 bougie verte
-1 pièce
- Sel de mer
-1 pincée de piment

Ce rituel doit être effectué le jeudi ou le dimanche, à l'heure de la planète Jupiter ou du Soleil.

Aucune autre personne ne doit se trouver dans les locaux de l'entreprise.

Allumez la bougie et placez la pièce, une poignée de sel et une pincée de poivre autour d'elle en forme de triangle.

Il faut impérativement placer le piment à droite et la poignée de sel à gauche. La pièce de monnaie doit se trouver au sommet de la pyramide.

Placez-vous devant la bougie pendant quelques minutes et visualisez tout ce que vous désirez en termes de prospérité.

Les restes peuvent être jetés, les pièces de monnaie sont conservées sur le lieu de travail à des fins de protection.

Les meilleurs rituels pour l'amour

Tous les vendredis, le jour de Vénus.

Les meilleurs rituels pour l'amour

7, 14, 21, 28, 31 juillet.

Sort pour que quelqu'un pense à vous

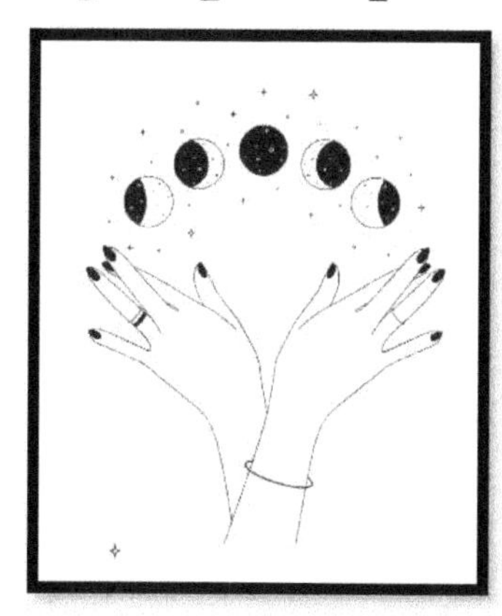

Prenez un petit miroir que les femmes utilisent pour se maquiller et placez une photo de vous derrière le miroir.

Prenez ensuite une photographie de la personne à laquelle vous voulez penser et placez-la face cachée devant le miroir (de manière que les deux photographies se fassent face, le miroir étant placé au milieu).

Enveloppez le miroir d'un morceau de tissu rouge et attachez-le avec une ficelle rouge pour qu'il soit bien fixé et que les images ne puissent pas bouger.

Il doit être placé sous le lit, bien caché.

Sort qui vous transforme en aimant

Pour avoir une aura magnétique et attirer les femmes ou les hommes, il faut faire un sac jaune avec le cœur d'une colombe blanche et les yeux d'un TARTUGA en poudre.

Si vous êtes un homme, ce sac doit être transporté dans votre poche droite.

Les femmes porteront le même sac, mais à l'intérieur du soutien-gorge, sur le côté gauche.

Les meilleurs rituels pour la santé

Le 23 août, le soleil entre dans la Vierge.

Bain rituel aux herbes amères

Ce rituel est utilisé lorsque la personne a été ensorcelée à un point tel que sa vie est en danger.

Éléments nécessaires :

- *7 Feuilles de myrte*
- *Jus de grenade*
- *Lait de chèvre*
- *Sel de mer*
- *L'eau sacrée*
- *Décortiquer*
- *8 Feuilles de la plante brise-muraille*

Verser le lait de chèvre dans un grand récipient, ajouter le jus de grenade, l'eau bénite, les plantes, le sel de mer et la décortiquer.

Laissez cette préparation devant une bougie blanche pendant trois heures, puis versez-la sur votre tête. Dormez ainsi et rincez le lendemain.

Rituels pour le mois de septembre

Septembre 2024

Dimanche	**Lundi**	**Mardi**	**Mercredi**	**Jeudi**	**Vendredi**	**Samedi**
1		**3** Nouvelle lune		**5**		
8	**9**	**10**				
		17 Pleine lune	**18**			**21**
	23		**25**	**26**		
29	**30**					

3 septembre 2024 Nouvelle Lune en Vierge 11°03'.

17 septembre 2024 Pleine Lune et éclipse partielle des Poissons
25°40'

Les meilleurs rituels pour l'argent

3,13,20 septembre 2024

Rituel pour gagner de l'argent en trois jours

Procurez-vous cinq bâtons de cannelle, une écorce d'orange séchée, un litre d'eau de pleine lune et une bougie en argent. Faites bouillir la cannelle et l'écorce d'orange dans l'eau de pleine lune. Une fois refroidis, placez-les dans un flacon pulvérisateur. Allumez la bougie dans la partie nord du salon et vaporisez le liquide dans toutes les pièces. Pendant ce temps, répétez dans votre esprit : "Les guides spirituels protègent ma maison et me permettent de recevoir immédiatement l'argent dont j'ai besoin.

Lorsque vous avez terminé, laissez la bougie allumée.

L'argent avec l'éléphant blanc

Achetez un éléphant blanc avec le tronc relevé.

Placez-la à l'intérieur de la maison ou de l'entreprise, jamais devant les portes.

Le premier jour de chaque mois, placez un billet de banque de la plus petite valeur dans la trompe de l'éléphant, pliez-le en deux dans le sens de la longueur et répétez : "Que ceci soit le double de 100" ; puis pliez-le à nouveau dans le sens de la largeur et répétez : "Que ceci soit multiplié par mille".

Déroulez la carte et laissez-la dans la trompe de l'éléphant jusqu'au mois suivant.

Répétez le rituel en changeant les notes.

Rituel pour gagner à la loterie.

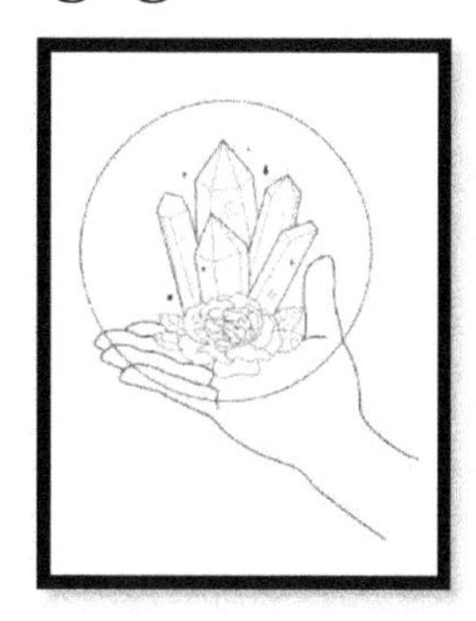

C'est nécessaire :

- 2 bougies vertes

- 12 pièces (représentant les douze mois de l'année)

- 1 mandarine

- Bâtons de cannelle

- Pétales de deux roses rouges

-1 bocal en verre à large ouverture avec couvercle

-1 ancien billet de loterie

- Eau de la pleine lune

Placez la mandarine dans le bocal, le billet de loterie, les pièces de monnaie, les pétales et la cannelle autour, couvrez avec de l'alcool de contrebande et mettez le couvercle. Placez la bougie dans le couvercle du bocal et allumez-la. Le lendemain, remplacez la bougie par une nouvelle et, le troisième jour, découvrez le bocal et jetez tout sauf les pièces de monnaie, qui serviront d'amulette. Gardez-en une dans votre portefeuille et laissez les onze autres à la maison. À la fin de l'année, vous devrez dépenser les pièces.

Les meilleurs rituels pour l'amour

Chaque vendredi de septembre 2024

Rituel pour éliminer les litiges

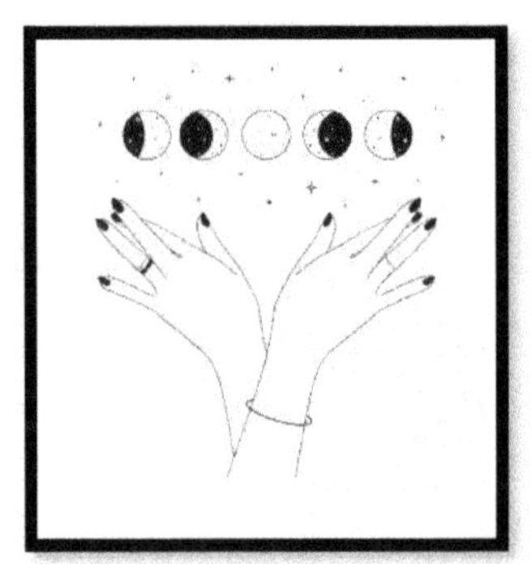

Inscrivez votre nom et celui de votre partenaire sur une feuille de papier. Placez-la sous une pyramide de quartz rose et répétez mentalement : "Je (votre nom) suis en paix et en harmonie avec mon partenaire (le nom de votre partenaire), l'amour nous entoure maintenant et toujours".

Cette pyramide avec les noms doit être conservée dans la zone d'amour de votre maison. Le coin inférieur droit de la porte d'entrée est la zone des couples, de l'amour, du mariage ou des relations.

Rituel d'amour

Pendant cinq jours et à la même heure, formez une pyramide sur le sol avec des pétales de roses rouges. Écrivez le nom de la personne dont vous voulez tomber amoureux sur une bougie verte, allumez-la et placez-la au centre de la pyramide, au-dessus du pentagramme de Vénus numéro 3.

Asseyez-vous devant cette pyramide et répétez mentalement : "J'invoque toutes les forces élémentaires de l'univers pour que (nom de la personne) me rende mon amour". Une fois ce temps écoulé, jetez les restes des bougies dans le panier et brûlez le pentagramme.

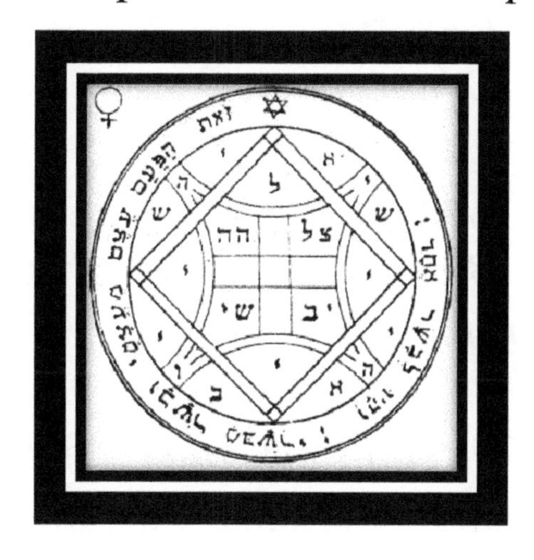

Pentacle n°3 Vénus.

Les meilleurs rituels pour la santé

N'importe quel jour de septembre. De préférence les lundis et vendredis.

Bain thérapeutique

Éléments nécessaires :

- Aubergine

- Plante de Ruda
- L'esprit
- Décortiquer
- Eau de Floride
- Eau de pluie
- Bougie verte (plus efficace si elle est en forme de pyramide)

Ce bain est plus efficace s'il est effectué un dimanche, à l'heure du Soleil ou de Jupiter. Coupez l'aubergine en morceaux et mettez-la dans une grande casserole.

Faire bouillir la sauge et la rue dans de l'eau de pluie. Filtrer le liquide sur les morceaux d'aubergine, ajouter l'Aguaflorida, le brandy et la décortiquer et allumer la bougie. Versez le mélange dans l'eau du bain. Si vous n'avez pas de baignoire, versez le mélange sur la baignoire et laissez sécher à l'air libre, c'est-à-dire sans utiliser de serviette.

Bain protecteur avant l'intervention chirurgicale

Éléments nécessaires :

- *Cloche violette*
- *Eau de coco*
- *Décortiquer*
- *Cologne 1800*
- *Toujours en vie*
- *Feuilles de menthe*
- *Feuilles de rue*

- Feuilles de romarin
- Bougie blanche
- Huile de lavande

Ce bain est plus efficace s'il est pris un jeudi, au moment de la Lune ou de Mars.

Faites bouillir toutes les plantes dans l'eau de coco, quand elle refroidit, filtrez-la et ajoutez le coquillage, l'eau de Cologne et l'huile de lavande et allumez la bougie dans la partie ouest du bain.

Versez le mélange dans l'eau du bain. Si vous n'avez pas de baignoire, versez-le sur vous et ne vous séchez pas.

Rituels pour le mois d'octobre

Octobre 2024

Dimanche	Lundi	Mardi	Mercredi	Jeudi	Vendredi	Samedi
		1	**2** Nouvelle lune			**5**
		8		**10**		
			16 Pleine lune			
	21		**23**		**25**	**26**
		29	**30**	**31**		

2 octobre 2024 Eclipse solaire annulaire en Balance et Nouvelle Lune à 10°02'.

16 octobre 2024 Pleine Lune 24°34' Bélier

Les meilleurs rituels pour l'argent

2, 17, 31 octobre 2024.

Le sucre et l'eau de mer sont des remèdes pour la prospérité.

C'est nécessaire :
- Eau de mer
- 3 cuillères à soupe de sucre
- 1 verre en cristal bleu

Remplir la coupe d'eau de mer et de sucre, la laisser à l'air libre la première nuit de la pleine lune et la retirer à 6 heures du matin.

Ouvrez ensuite les portes de votre maison et commencez à vaporiser de l'eau sucrée de l'entrée vers l'arrière, à l'aide d'un vaporisateur ; ce faisant, répétez dans votre esprit : "J'attire dans ma vie toute la prospérité et la richesse que l'univers sait que je mérite, merci, merci".

La cannelle

Il est utilisé pour purifier le corps. Dans certaines cultures, on lui prête le pouvoir de favoriser l'immortalité. D'un point de vue magique, la cannelle est liée au pouvoir de la lune en raison de sa tendance féminine.

Rituel pour attirer l'argent instantanément.

C'est nécessaire :
- 5 bâtons de cannelle
- 1 écorce d'orange séchée
- 1 litre d'eau bénite
- 1 bougie verte

Porter à ébullition la cannelle, l'écorce d'orange et 1 litre d'eau, puis laisser reposer le mélange jusqu'à ce qu'il refroidisse. Verser le liquide dans un flacon pulvérisateur.

Allumez la bougie dans la partie nord du salon de votre maison et dispersez-la dans toutes les pièces en répétant : "Ange de l'abondance, j'invoque ta présence dans cette maison pour que nous ne manquions de rien et que nous ayons toujours plus que ce dont nous avons besoin.

Lorsque vous avez terminé, dites la prière trois fois et laissez la bougie allumée.

Vous pouvez le faire un dimanche ou un jeudi, à l'heure de la planète Vénus ou Jupiter.

Les meilleurs rituels pour l'amour

N'importe quel jour d'octobre 2024.

Sortilège pour oublier un ancien amour

C'est nécessaire :
- 3 bougies jaunes en forme de pyramide
- Sel de mer
- Vinaigre blanc
- Huile d'olive
- Papier jaune
- 1 sachet noir

Ce rituel est plus efficace lorsqu'il est effectué pendant la phase de lune décroissante.

Inscrivez le nom de la personne que vous voulez éliminer de votre vie au centre de la feuille huilée.

Les bougies sont ensuite placées sur le dessus en forme de pyramide.

Ce faisant, répétez dans votre esprit : "Mon ange gardien veille sur ma vie, c'est mon souhait et il se réalisera".

Lorsque les bougies sont épuisées, enveloppez tous les restes dans le même papier et saupoudrez-les de vinaigre.

Mettez-le ensuite dans le sac noir et jetez-le dans un endroit éloigné de la maison, de préférence en présence d'arbres.

Sort pour attirer l'âme sœur

C'est nécessaire :
- Feuilles de romarin
- Feuilles de persil
- Feuilles de basilic
- Conteneur métallique
- 1 bougie rouge en forme de cœur
- Huile essentielle de cannelle
- 1 cœur dessiné sur du papier rouge
- Alcool
- Huile de lavande

Il faut d'abord consacrer la bougie avec de l'huile de cannelle, puis l'allumer et la placer à côté du récipient en métal. Mélangez toutes les plantes dans le récipient. Écrivez sur le cœur en papier toutes les caractéristiques de la personne que vous voulez dans votre vie, en notant les détails. Mettez cinq gouttes d'huile de lavande sur le papier et placez-le à l'intérieur du récipient. Arrosez-le d'alcool et mettez-y le feu. Tous les restes doivent être dispersés sur la plage pendant que vous vous concentrez et demandez que cette personne entre dans votre vie.

Rituel pour attirer l'amour

Il est nécessaire

- *Huile de rose*
- *1 quartz rose*
- *1 pomme*
- *1 rose rouge dans un petit vase*
- *1 rose blanche dans un petit vase*
- *1 long ruban rouge*
- *1 bougie rouge*

Pour une efficacité maximale, ce rituel doit être effectué le vendredi ou le dimanche, à l'heure des planètes Vénus ou Jupiter.

Il est nécessaire de consacrer la bougie avant de commencer le rituel à l'huile de rose. Allumez la bougie. Coupez la pomme en deux morceaux et placez-en un dans le vase de roses rouges et l'autre dans le vase de roses blanches. Attachez le ruban rouge autour des deux vases. Laissez-les à côté de la bougie toute la nuit jusqu'à ce que la bougie soit éteinte. Pendant ce temps, répétez dans votre esprit : "Que la personne destinée à me rendre heureux se présente sur mon chemin, je l'accueille et je l'accepte". Lorsque les roses sont sèches, enterrez-les avec les moitiés de pommes dans votre jardin ou dans un vase avec du quartz rose.

Les meilleurs rituels pour la santé

Tous les dimanches d'octobre 2024

Rituel vitalité

Faites tremper une pyramide en aluminium dans un seau d'eau pendant 24 heures. Le lendemain, après votre douche habituelle, l'avez-vous avec cette eau. Vous pouvez effectuer ce rituel une fois par semaine.

Rituels pour le mois de novembre

Novembre 2024

Dimanche	Lundi	Mardi	Mercredi	Jeudi	Vendredi	Samedi
					1 Nouvelle lune	
		5			**8**	
10					**15** Pleine lune	
				21		**23**
	25	**26**			**29**	**30** Nouvelle lune

1er novembre 2024 Nouvelle Lune du Scorpion 9°34

15 novembre 2024 Pleine Lune Taureau 24°00'

30 novembre 2024 Nouvelle Lune Sagittaire 9°32'

Les meilleurs rituels pour gagner de l'argent

1,15,30 novembre 2024

Gagner de l'argent avec la pierre

C'est nécessaire :

- *Eau bénite*
- *7 pièces de n'importent quelle dénomination*
- *7 pierres de pyrite*
- *1 bougie verte*
- *1 cuillère à café de cannelle*
- *1 cuillère à café de sel marin*
- *1 cuillère à café de sucre roux*
- *1 cuillère à café de riz*

Ce rituel doit être accompli à la lumière de la pleine lune, c'est-à-dire en plein air.

Verser l'eau et la terre dans un bol pour obtenir une pâte épaisse. Ajoutez les cuillères à café de sel, le sucre, le riz et la cannelle au mélange et placez les 7 pièces de monnaie et les 7 pyrites à différents endroits au milieu de la pâte. Mélangez la pâte uniformément et lissez-la à l'aide d'une cuillère. Laissez sécher le récipient à la lumière de la pleine lune pendant la nuit et une partie de la journée suivante au soleil. Une fois sec, emportez-le dans la maison et placez-y la bougie verte allumée. N'essuyez pas les résidus de cire sur cette pierre. Placez-la dans la cuisine, le plus près possible d'une fenêtre.

Les meilleurs rituels pour l'amour
Tous les vendredis et lundis de novembre.

Le miroir magique de l'amour

Prenez un miroir de 40 à 50 cm de diamètre et peignez le cadre en noir. Lavez le miroir avec de l'eau bénite et recouvrez-le d'un tissu noir. La première nuit de la pleine lune, laissez le miroir exposé à ses rayons afin de pouvoir y voir l'ensemble du disque lunaire.

Demandez à la Lune de consacrer ce miroir pour qu'il illumine vos désirs.

La nuit suivant la Pleine Lune, écrivez au crayon tout ce que vous voulez en matière d'amour. Précisez comment vous voulez que votre partenaire soit à tous égards. Fermez les yeux et visualisez-vous heureux et ensemble avec elle. Laissez les mots écrits jusqu'au lendemain matin.

Nettoyez ensuite le miroir avec de l'eau bénite jusqu'à ce qu'il n'y ait plus de traces du vernis utilisé. Rangez le miroir dans un endroit où personne ne peut le toucher.

Pour pouvoir répéter ce sort, il faut recharger le miroir trois fois par an avec l'énergie des pleines lunes. Si vous le faites pendant une période planétaire en rapport avec l'amour, vous ajouterez un pouvoir suprême à votre intention.

Sort pour augmenter la passion

C'est nécessaire :
- 1 feuille de papier vert
- 1 pomme verte

- Fil rouge
- 1 couteau

Ce rituel doit être accompli un vendredi, à l'heure de la planète Vénus.

Écrivez le nom de votre partenaire et le vôtre sur le papier vert et dessinez un cœur autour.

Couper la pomme en deux à l'aide d'un couteau et placer le papier entre les deux moitiés.

Reliez ensuite les deux moitiés avec du fil rouge et faites cinq nœuds.

Vous prenez une bouchée de la pomme et l'avalez.

À minuit, les restes de la pomme sont enterrés le plus près possible de la maison du partenaire ou, si vous vivez ensemble, dans son jardin.

Les meilleurs rituels pour la santé

Tous les jeudis de novembre 2024

Rituel pour éliminer la douleur

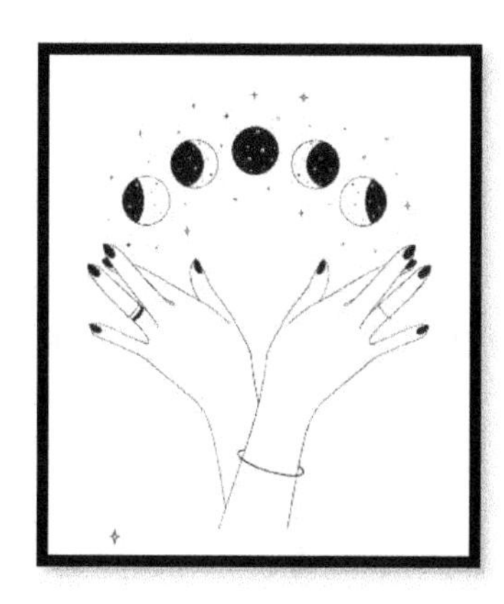

Allongez-vous sur le dos, la tête au nord, et placez une pyramide jaune sur votre bas-ventre pendant dix minutes : les maladies disparaîtront.

Rituel de relaxation

Prenez une pyramide violette et allongez-vous sur le dos, les yeux fermés, gardez l'esprit vide et respirez

doucement. À ce stade, vous sentirez vos bras, vos jambes et votre poitrine s'engourdir.

Ensuite, vous vous sentirez plus lourd, ce qui signifie que vous êtes totalement détendu ; ce rituel génère la paix et l'harmonie.

Rituel pour une vieillesse en bonne santé

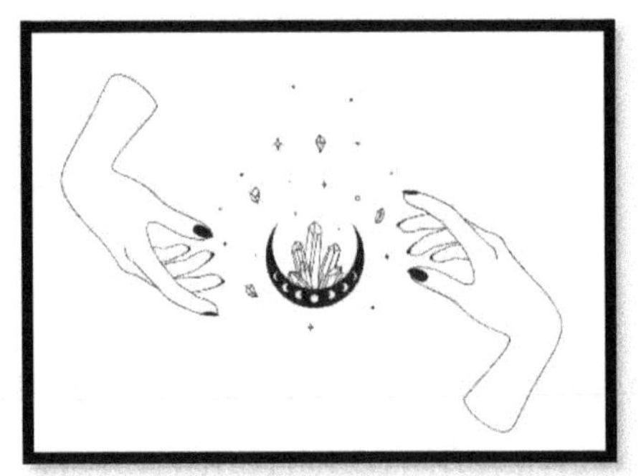

Prenez un gros œuf et colorez-le en or.

Lorsque la peinture est sèche, placez-la à l'intérieur d'un cercle que vous ferez avec 7 bougies (1 rouge, 1 jaune, 1 verte, 1 rose, 1 bleue, 1 violette, 1 blanche). Asseyez-vous devant le cercle, la tête couverte d'un foulard blanc, et allumez les bougies dans le sens des aiguilles d'une montre. Répétez les phrases suivantes pendant que vous allumez les bougies :

Je suis en train de devenir la meilleure version de moi-même.

Mes possibilités sont infinies.

J'ai la liberté et le pouvoir de créer la vie que je veux.

Je choisis d'être gentil avec moi-même et de m'aimer inconditionnellement.

Je fais ce que je peux, et c'est suffisant.

Chaque jour est une occasion de recommencer.

Où que je sois dans mon voyage, c'est ma place.

Laissez les bougies s'éteindre.

Il faut ensuite enterrer l'œuf dans un pot d'argile et le remplir de sable, en le laissant exposé au soleil et à la lumière de la lune pendant trois jours et trois nuits consécutifs.

Vous garderez cette jarre chez vous pendant trois ans, après quoi vous déterrerez l'œuf, briserez la coquille et laisserez ce que vous trouverez à l'intérieur comme amulette protectrice.

Sort pour guérir les personnes gravement malades

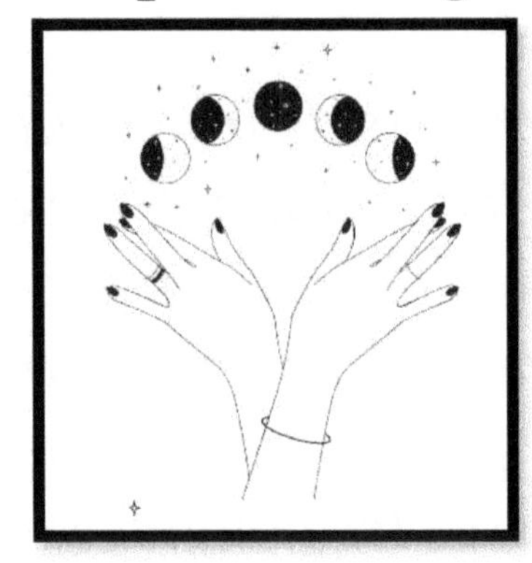

Le diagnostic du médecin et une photographie actuelle de la personne sont placés dans un récipient en métal. Placez deux bougies vertes de part et d'autre du récipient et allumez-les.

Brûlez le contenu du récipient et, pendant qu'il brûle, ajoutez les cheveux de la personne.

S'il n'y a que des cendres, il faut les mettre dans une enveloppe verte et le patient doit dormir avec cette enveloppe sous l'oreiller pendant 17 jours.

Rituels de décembre

Décembre 2024

Dimanche	Lundi	Mardi	Mercredi	Jeudi	Vendredi	Samedi
1				**5**		
8		**10**				**14** ○ Pleine lune
			18			**21**
	23		**25**	**26**		
29	**30** ● Nouvelle lune	**31**				

15 décembre 2024 Pleine Lune des Gémeaux 23°52' Pleine Lune des Gémeaux

30 décembre 2024 Nouvelle Lune en Capricorne 9°43

Les meilleurs rituels pour l'argent

14, 20 et 30 décembre 2024

Rituel hindou pour attirer l'argent.

Les jours idéaux pour ce rituel sont le jeudi ou le dimanche, à l'heure de la planète Vénus, Jupiter ou du Soleil.
C'est nécessaire :
- Huile essentielle de rue ou de basilic
- 1 pièce d'or
- 1 nouveau portefeuille ou sac à main
- 1 épi de blé
- 5 pyrites

Il est nécessaire de consacrer la pièce d'or en l'oignant d'huile de basilic ou de rue et en la dédiant à Jupiter. Tout en l'oignant, répéter mentalement :

"Je veux que vous saturiez cette monnaie de votre énergie, afin que l'abondance économique puisse entrer dans ma vie".

Versez ensuite de l'huile sur l'épi de maïs et offrez-le à Jupiter, en lui demandant de ne pas laisser votre maison manquer de nourriture. Prenez la pièce, ainsi que les cinq pyrites, et placez-les dans un nouveau porte-monnaie, que vous enterrerez sur le côté gauche de la façade de votre maison. L'épi sera stocké dans la cuisine.

Argent et abondance pour tous les membres de la famille.

C'est nécessaire :

- 4 pots en terre cuite

- 4 pentacles de Jupiter #7 (vous pouvez les imprimer)

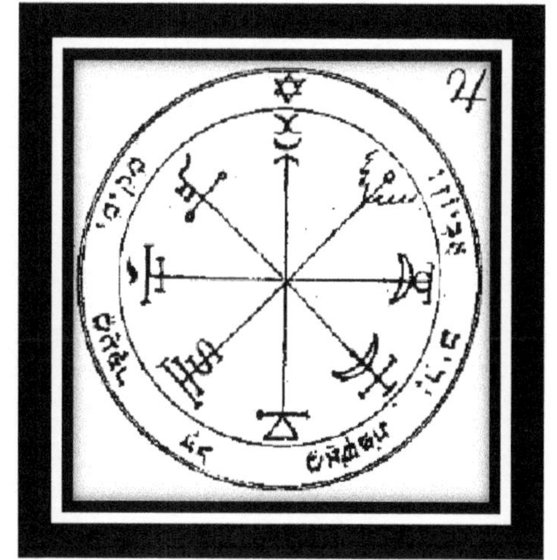

Pentacle de Jupiter n° 7.

- Mel
- 4 agrumes

Le vendredi, à l'heure de la planète Jupiter, écrivez les noms de toutes les personnes vivant dans votre maison au dos du septième pentagramme de Jupiter.

Placez ensuite chaque morceau de papier dans les pots d'argile avec les agrumes et versez le miel dessus. Placez les pots aux quatre points cardinaux de votre maison. Laissez-les là pendant un mois. À la fin de cette période, jetez le miel et les pentacles, mais gardez les citrines dans le salon.

Les meilleurs rituels quotidiens pour l'amour
Vendredi et dimanche, décembre 2024

Rituel pour transformer l'amitié en amour

Ce rituel est le plus puissant lorsqu'il est effectué le mardi à l'heure de Vénus.

C'est nécessaire :

- 1 photo en pied de votre proche
- 1 petit miroir
- 7 de vos cheveux
- 7 gouttes de votre sang
- 1 bougie pyramidale rouge
- 1 sachet d'or

Versez les gouttes de sang sur le miroir, placez vos cheveux dessus et attendez qu'elles sèchent. Placez la photo sur le miroir (lorsque le sang est sec).

Allumez la bougie et placez-la à droite du miroir, concentrez-vous et répétez :

"Nous sommes unis pour toujours par le pouvoir de mon sang et le pouvoir de (nom de la personne que vous aimez) l'amour que je ressens pour vous. L'amitié se termine, mais l'amour éternel commence".

Lorsque la bougie est consumée, mettez le tout dans le sac d'or et jetez-le à la mer.

Sort d'amour germanique

Ce sort est plus efficace s'il est lancé pendant la phase de pleine lune à 23h59.

C'est nécessaire :
- 1 photo de la personne aimée
- 1 photo de vous
- 1 cœur de colombe blanche
- 13 pétales de tournesol
- 3 épingles
- 1 bougie rose
- 1 bougie bleue
- 1 nouvelle aiguille à coudre
- Sucre roux
- Cannelle en poudre
- 1 table

Disposez les photos sur la table, placez le cœur sur le dessus et enfilez les trois épingles. Entourez-les de pétales de tournesol, placez la bougie rose à gauche et la bougie bleue à droite et allumez-les dans le même ordre.

Piquez l'index de la main gauche et laissez tomber trois gouttes de sang sur le cœur. Lorsque le sang tombe, répétez trois fois : "Par la puissance du sang, tu (nom de la personne) m'appartiens".

Lorsque les bougies sont épuisées, enterrez-les et, avant de refermer le trou, ajoutez de la cannelle en poudre et de la cassonade.

Sort de vengeance

C'est nécessaire :

- 1 pierre de rivière

- Poivre rouge

- Photos de la personne qui vous a volé votre amour

- 1 pot

- Concession de cimetière

- 1 bougie noire

L'incantation suivante doit être inscrite au dos de la photographie : "Par le pouvoir de la vengeance, je promets que tu me rembourseras et que tu ne blesseras plus jamais personne, tu es effacé".

(Nom de la personne)".

Placez ensuite la photo de la personne au fond du pot et placez la pierre sur le dessus, puis versez la terre du cimetière et le poivre rouge, dans cet ordre.

Allumez la bougie noire et répétez la même incantation derrière la photographie. Lorsque la bougie se consume, jetez-la à la poubelle et laissez le pot dans un endroit qui est une montagne.

Les meilleurs rituels pour la santé

Un jeudi de décembre 2024

Grille de santé cristalline

La première étape consiste à déterminer l'objectif que vous souhaitez exprimer. Écrivez sur une feuille de papier vos souhaits en matière de santé, toujours au

présent et sans le mot **NON.** *Un exemple pourrait être : "J'ai une santé parfaite".*

Éléments nécessaires.

- *1 grand quartz améthyste (le point central)*
- *4 Lari mar.*
- *4 petits quartz cornaline*
- *6 quartz œil de tigre*
- *4 agrumes*
- *1 Figure géométrique de la fleur de vie*
- *1 point de quartz blanc pour activer le gril*

Fleur de vie.

Ces pierres de quartz doivent être nettoyées avant le rituel pour les purifier des énergies qu'elles ont pu absorber avant d'arriver entre vos mains ; le sel de mer est la meilleure option. Laissez-les dans le sel marin pendant une nuit. Lorsque vous les retirez, vous pouvez également allumer un Palo sacré et fumer pour renforcer le processus de purification.

Les diagrammes géométriques nous aident à mieux visualiser comment les énergies se connectent entre les nœuds ; les nœuds sont les points décisifs de la géométrie, ce sont les positions stratégiques où les cristaux sont placés pour que leurs énergies interagissent les unes avec les autres, créant des courants d'énergie à haute vibration (comme un circuit) que nous pouvons détourner vers notre intention.

Trouvez un endroit calme, car lorsque nous travaillons avec les toiles de cristal, nous travaillons avec les énergies universelles.

Prenez les pierres, une à une, et placez-les dans votre main gauche, que vous tenez en forme de bol, recouvrez-la de votre main droite et répétez à haute voix les noms des symboles Reiki : Cho Ku Rei, Sei He Ki, Hon Sha Ze Sho Nen et Dai Ko Mio, trois fois chacun.

Cette opération a pour but de dynamiser les pierres.

*Pliez le papier et placez-le au centre de la grille. Placez le grand quartz améthyste sur le dessus, cette pierre au centre est le point focal, les autres sont placées comme dans l'*exemple.*

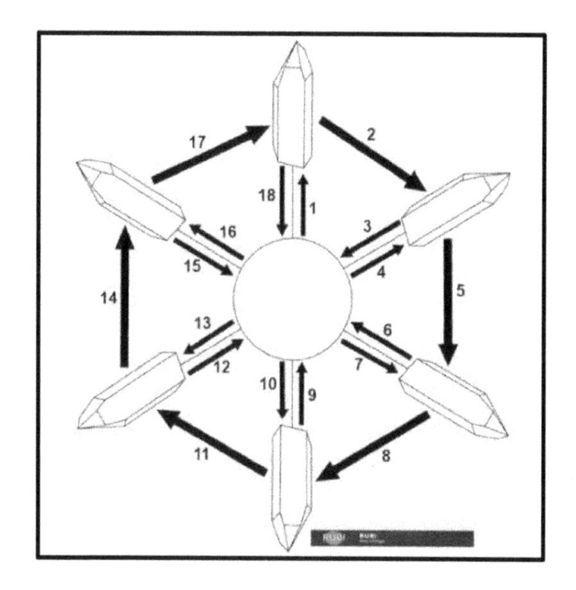

Vous les reliez avec la pointe de quartz, en partant du foyer circulaire dans le sens des aiguilles d'une montre.

Une fois la grille mise en place, laissez-la dans un endroit où personne ne peut la toucher. De temps en temps, vous devrez la rallumer, c'est-à-dire l'activer avec la pointe de quartz, en visualisant dans votre esprit ce que vous avez écrit sur le papier.

A propos de l'auteur

Outre ses connaissances astrologiques, Alina A. Rubi possède une riche expérience professionnelle. Rubi possède une riche expérience professionnelle ; elle est certifiée en psychologie, hypnose, reiki, guérison bioénergétique avec des cristaux, guérison angélique, interprétation des rêves et est formatrice spirituelle. Rubi a des connaissances en gemmologie, qu'elle utilise pour programmer des pierres ou des minéraux en amulettes puissantes ou en talismans protecteurs.

Rubi a une nature pratique et orientée vers les résultats, ce qui lui a donné une vision spéciale et intégrative des différents mondes, facilitant la recherche de solutions à des problèmes spécifiques. Alina rédige des horoscopes mensuels pour le site web de l'Association américaine des astrologues, qui peuvent être consultés à l'adresse www.astrologers.com. Elle tient actuellement une chronique hebdomadaire dans le journal El Nuevo Herald sur des sujets spirituels, publiée tous les dimanches en format numérique et les lundis en format papier. Il présente également un programme hebdomadaire et un horoscope sur la chaîne YouTube du journal. Son annuaire astrologique est publié chaque année dans le journal Diario las Américas, avec la rubrique Rubi Astrologa.

Rubi a écrit plusieurs articles sur l'astrologie pour la publication mensuelle "Today's Astrologer" et a donné des cours sur l'astrologie, le tarot, la lecture des lignes de la main, la guérison par les cristaux et l'ésotérisme. Elle diffuse des vidéos hebdomadaires sur des sujets ésotériques sur sa chaîne YouTube : Rubi Astrologer. Elle a eu sa propre émission d'astrologie diffusée quotidiennement sur Flamingo T.V., a été interviewée par divers programmes de télévision et de radio et publie chaque année son "Annuaire astrologique" avec l'horoscope signe par signe et d'autres sujets mystiques intéressants.

Elle est l'auteur des livres "Du riz et des haricots pour l'âme » Part I, II et III, une collection d'articles ésotériques publiés en anglais, espagnol, français, italien et portugais. Money for Every Pocket", "Love for Every Heart", "Health for Everybody", Astrological Yearbook 2021, Horoscope 2022, Rituals and Spells for Success in 2022, Spells and Secrets 2023, Astrology Lessons, Rituals and Spells 2024 et Chinese Horoscope 2024 sont disponibles en neuf langues: anglais, russe, portugais, chinois, italien, français, espagnol, japonais et allemand.

Rubi parle couramment l'anglais et l'espagnol et combine tous ses talents et connaissances dans ses lectures. Elle vit actuellement à Miami, en Floride.

Pour plus d'informations, veuillez **consulter le site** *www.esoterismomagia.com.*

Angeline A. Rubi est la fille d'Alina Rubi. Elle est l'éditrice de tous les livres. Elle étudie actuellement la psychologie à l'université internationale de Floride. Elle est l'auteur de Des protéines pour votre esprit, un recueil d'articles métaphysiques.

Elle s'intéresse aux sujets métaphysiques et ésotériques depuis son enfance et pratique l'astrologie et la Kabbale depuis l'âge de quatre ans. Elle connaît le tarot, le reiki et la gemmologie.

Pour de plus amples informations, veuillez la contacter par courrier électronique : ***rubiediciones29@gmail.com***

Milton Keynes UK
Ingram Content Group UK Ltd.
UKHW032049010124
435297UK00014B/676